COLLECTION FOLIO

Muriel Barbery

Une gourmandise

Gallimard

Muriel Barbery est née en 1969.

Une gourmandise, son premier roman, a reçu le prix du Meilleur Livre de Littérature gourmande 2000 et le prix Bacchus-BSN 2001. Il est traduit en onze langues.

À Stéphane, sans qui...

La saveur

Rue de Grenelle, la chambre

Quand je prenais possession de la table, c'était en monarque. Nous étions les rois, les soleils de ces quelques heures de festin qui décideraient de leur avenir, qui dessineraient l'horizon, tragiquement proche ou délicieusement lointain et radieux, de leurs espoirs de chefs. Je pénétrais dans la salle comme le consul entre dans l'arène pour être acclamé et j'ordonnais que la fête commence. Qui n'a jamais goûté au parfum enivrant du pouvoir ne peut imaginer ce soudain éclaboussement d'adrénaline qui irradie tout le corps, déclenche l'harmonie des gestes, efface toute fatigue, toute réalité qui ne se plie pas à l'ordre de votre plaisir, cette extase de la puissance sans frein, quand il n'y a plus à combattre mais seulement à jouir de ce que l'on a gagné, en savourant à l'infini l'ivresse de susciter la crainte.

Tels nous étions et régnions en seigneurs et maîtres sur les plus grandes tables de France, repus de l'excellence des mets, de notre propre gloire et du désir jamais assouvi, toujours aussi excitant que la première piste d'un chien de chasse, de décider de cette excellence.

Je suis le plus grand critique gastronomique du monde. Avec moi, cet art mineur s'est haussé au rang des plus prestigieux. Tout le monde connaît mon nom, de Paris à Rio, de Moscou à Brazzaville, de Saigon à Melbourne et Acapulco. J'ai fait et défait des réputations, j'ai été, de toutes ces agapes somptueuses, le maître d'œuvre conscient et impitoyable, dispersant le sel ou le miel de ma plume aux quatre vents des journaux, émissions et tribunes divers où, sans répit, j'étais convié à discourir sur ce qui, jusque-là, était réservé à l'intimité de revues spécialisées ou à l'intermittence de chroniques hebdomadaires. Pour l'éternité, j'ai épinglé sur mon tableau de chasse quelques-uns des plus prestigieux papillons de la toque. À moi et à moi seul on doit la gloire puis la chute de la maison Partais, l'effondrement de la maison Sangerre, le rayonnement toujours plus incandescent de la maison Marquet. Pour l'éternité, oui, pour l'éternité je les ai faits ce qu'ils sont.

J'ai tenu l'éternité dans l'écorce de mes mots et demain, je vais mourir. Je vais mourir en quarante-huit heures — à moins que je ne cesse de mourir depuis soixante-huit ans et que je ne daigne le remarquer qu'aujourd'hui. Quoi qu'il en soit, la sentence de Chabrot, le médecin et l'ami, est tombée hier : « Mon vieux, il te reste quarante-huit heures. » Quelle ironie ! Après des décennies de boustifaille, des flots de vin, d'alcools en tout genre, après une vie dans le beurre, la crème, la sauce, la friture, l'excès à toute heure, savamment orchestré, minutieusement cajolé, mes plus fidèles lieutenants, le sieur Foie et son acolyte l'Estomac, se portent à merveille et c'est mon cœur qui me lâche. Je meurs d'une insuffisance de cœur. Quelle amertume aussi ! J'ai tant reproché aux autres d'en manquer dans leur cuisine, dans leur art, que je n'ai jamais pensé que c'était peut-être à moi qu'il faisait défaut, ce cœur qui me trahit si brutalement, avec un dédain à peine dissimulé tant le couperet s'est aiguisé rapidement...

Je vais mourir mais cela n'a pas d'importance. Depuis hier, depuis Chabrot, une seule chose importe. Je vais mourir et je ne parviens pas à me rappeler une saveur qui me trotte dans le cœur. Je sais que cette saveur-là, c'est la vérité première et ultime de toute ma vie, qu'elle détient la clef d'un cœur que j'ai fait taire depuis. Je sais que c'est une saveur d'enfance, ou d'adolescence, un mets originel et merveilleux avant toute vocation critique, avant tout désir et toute prétention à dire mon plaisir de manger. Une saveur oubliée, nichée au plus profond de moi-même et qui se révèle au crépuscule de ma vie comme la seule vérité qui s'y soit dite — ou faite. Je cherche et je ne trouve pas.

(Renée)

Rue de Grenelle, la loge des concierges

Et quoi d'autre encore ?

Ils n'en ont pas assez que tous les jours que le bon Dieu fait, j'essuie la boue qui tombe de leurs chaussures de riches, que j'aspire la poussière de leurs déambulations de riches, que j'écoute leurs conversations et leurs soucis de riches, que je nourrisse leurs toutous, leurs minets, que j'arrose leurs plantes, que je mouche leurs rejetons, que je reçoive leurs étrennes et c'est bien le seul moment où ils ne jouent plus aux riches, que je hume leurs parfums, que j'ouvre la porte à leurs relations, que je distribue leur courrier, bardé de relevés de banque avec des comptes de riches, des rentes de riches et des découverts de riches, que je me fasse violence pour répondre à leurs sourires, que j'habite, pour finir, dans leur immeuble de riches, moi, la concierge, la rien du tout, la chose derrière sa vitre, que l'on salue à la sauvette pour avoir la paix, parce que ça gêne, de voir cette vieille chose tapie dans son réduit tout sombre sans lustre en cristal, sans escarpins vernis, sans pardessus en poil de chameau, ça gêne mais en même temps c'est rassurant, comme une incarnation de la différence sociale qui justifie la supériorité de leur classe, comme un repoussoir qui exalte leur munificence, comme un faire-valoir qui rehausse leur élégance — non, ils n'en ont pas encore assez, parce que en plus de tout cela, en plus de mener jour après jour heure après heure, minute après minute mais surtout, et c'est bien le pire, année après année cette existence de recluse malséante, il faudrait que je *comprenne* leurs peines de riches ?

S'ils veulent des nouvelles du Mâââître, ils n'ont qu'à sonner à sa porte

Le propriétaire

Rue de Grenelle, la chambre

Aussi loin que remontent mes souvenirs, j'ai toujours aimé manger. Je ne saurais dire avec précision quelles furent mes premières extases gastronomiques mais l'identité de ma première cuisinière de prédilection, ma grand-mère, ne laisse pas subsister beaucoup de doute à ce sujet. Au menu des festivités, il y eut donc de la viande en sauce, des pommes de terre dans la sauce et de quoi saucer tout ça. Je n'ai jamais su par la suite si c'était mon enfance ou les ragoûts que je ne parvenais pas à revivre mais plus jamais je n'ai dégusté aussi avidement — oxymore dont je suis le spécialiste — qu'à la table de ma grand-mère des patates gorgées de sauce, petites éponges délectables. Serait-elle là, cette sensation oubliée qui affleure dans ma poitrine ? Suffit-il que je demande à Anna de laisser mariner quelques tubercules dans le jus d'un coq au vin bourgeois ? Las, je sais bien que non. Je sais bien que ce que je traque a toujours échappé à ma verve, à ma mémoire, à ma réflexion. Pot-au-feu mirifiques, poulets chasseur à s'en pâmer, coqs au vin étourdissants, blanquettes ahurissantes, vous êtes bien les compagnons de mon enfance carnivore et sauceuse. Je vous chéris, aimables cocottes aux effluves de gibier — mais ce n'est pas vous que je cherche à présent.

Plus tard, malgré ces amours anciennes et jamais trahies, mes goûts se sont portés vers d'autres contrées culinaires et à l'amour du ragoût est venu se superposer, avec le délice supplémentaire que procure la certitude de son propre éclectisme, l'appel pressant des saveurs dépouillées. La finesse de la caresse du premier sushi sur le palais n'a plus de secret pour moi et je bénis le jour où j'ai découvert sur ma langue le velouté enivrant et presque érotique de l'huître qui suit une brisée de pain au beurre salé. J'en ai décortiqué avec tant de finesse et de brio la délicatesse magique que la bouchée divine en est devenue pour tous un acte religieux. Entre ces deux extrêmes, entre la richesse chaleureuse de la daube et l'épure cristalline du coquillage, j'ai parcouru tout le spectre de l'art culinaire, en esthète encyclopédique toujours en avance d'un plat — mais toujours en retard d'un cœur.

J'entends Paul et Anna qui parlent à voix basse dans le couloir. J'ouvre les yeux à demi.

Mon regard rencontre, comme à l'accoutumée, la cambrure parfaite d'une sculpture de Fanjol, cadeau d'anniversaire d'Anna pour mes soixante ans, il y a si longtemps me semble-t-il. Paul entre doucement dans la pièce. De tous mes neveux et nièces, c'est le seul que j'aime et estime, le seul dont j'accepte la présence aux dernières heures de ma vie et auquel, ainsi qu'à ma femme, j'ai fait, avant de ne plus guère pouvoir parler, la confidence de mon désarroi.

« Un plat ? Un dessert ? » a demandé Anna avec des sanglots dans la voix.

Je ne supporte pas de la voir ainsi. J'aime ma femme, comme j'ai toujours aimé les beaux objets de ma vie. C'est ainsi. En propriétaire j'ai vécu, en propriétaire je mourrai, sans états d'âme ni goût pour la sentimentalité, sans remords aucun d'avoir ainsi accumulé les biens, conquis les âmes et les êtres comme on acquiert un tableau de prix. Les œuvres d'art ont une âme. Peut-être est-ce parce que je sais qu'on ne peut les réduire à une simple vie minérale, aux éléments sans vie qui les composent, que je n'ai jamais éprouvé la moindre honte à considérer Anna comme la plus belle de toutes, elle qui, quarante ans durant, a égayé de sa beauté ciselée et de sa tendresse digne les pièces de mon royaume.

Je n'aime pas la voir pleurer. Au seuil de la mort, je sens qu'elle attend quelque chose, qu'elle souffre de cette fin imminente qui se profile à l'horizon des heures prochaines et qu'elle redoute que je ne disparaisse dans le même néant de communication que celui que nous entretenons depuis notre mariage — le même mais définitif, sans appel, sans l'espérance, l'alibi que demain sera peut-être un autre jour. Je sais qu'elle pense ou qu'elle sent tout cela mais je n'en ai cure. Nous n'avons rien à nous dire, elle et moi, et il faudra qu'elle l'accepte comme moi je l'ai voulu. Je voudrais juste qu'elle le comprenne ainsi, pour apaiser ses souffrances et, surtout, mon désagrément.

Plus rien n'a d'importance à présent. Sauf cette saveur que je poursuis dans les limbes de ma mémoire et qui, furieuse d'une trahison dont je n'ai même pas le souvenir, me résiste et se dérobe obstinément.

(Laura)

Rue de Grenelle, l'escalier

Je me souviens des vacances en Grèce lorsque nous étions enfants, à Tinos, cette horrible île brûlée et décharnée que j'ai détestée dès le premier regard, dès la première foulée sur la terre ferme, une fois abandonné le plancher du bateau, une fois abandonnés les vents adriatiques…

Un gros chat gris et blanc avait bondi sur la terrasse et, de là, sur le petit mur qui séparait notre villégiature de la maison invisible du voisin. Un gros chat : pour les standards du pays, il était impressionnant. Les environs regorgeaient de bêtes faméliques à la tête dodelinante dont la démarche épuisée me fendait le cœur. Celui-ci semblait pourtant avoir très vite compris la loi de la survie : il avait passé l'épreuve de la terrasse, poussé jusqu'à la porte de la salle à manger, s'était enhardi à l'intérieur et, sans vergogne, avait fondu en justicier sur le poulet rôti qui trônait sur la table. Nous l'avions trouvé attablé devant nos victuailles, l'air à peine effrayé, peut-être juste pour nous amadouer un peu, le temps d'arracher une aile d'un coup de dent sec et expert et de filer par la porte-fenêtre, son butin aux babines, en feulant machinalement pour notre plus grande joie d'enfants.

Naturellement, lui n'était pas là. Il reviendrait d'Athènes dans quelques jours, on lui raconterait l'anecdote — *maman* la lui raconterait, aveugle à sa mine méprisante, à son amour absent —, il n'y prêterait pas attention, déjà en partance pour une autre bombance, loin, aux antipodes : sans nous. Il me regarderait tout de même avec une lueur de déception au creux des prunelles, à moins que ce ne soit de la répulsion, ou peut-être de la cruauté — sans doute les trois à la fois —, et il me dirait : « Voilà comment on survit, ce chat est une leçon vivante », et ses mots sonneraient comme un glas, des mots pour blesser, des mots pour faire mal, pour supplicier la petite fille apeurée, si faible, si insignifiante : sans importance.

C'était un homme brutal. Brutal dans ses gestes, dans sa façon dominatrice de se saisir des objets, dans son rire satisfait, dans son regard de rapace ; jamais je ne l'ai vu se *détendre* ; tout était prétexte à tension. Dès le petit déjeuner, les rares jours où il nous faisait l'aumône de sa présence, le martyre commençait ; dans une atmosphère psychodramatique, avec des à-coups vocaux saccadés, on débattait de la survie de l'Empire : qu'allait-on manger à midi ? Les courses au marché se déroulaient dans l'hystérie. Ma mère courbait l'échine, comme d'habitude, comme toujours. Et puis il repartait, vers d'autres restaurants, vers d'autres femmes d'autres vacances, où nous n'étions pas, où nous ne figurions même pas, j'en suis sûre, à titre de souvenirs ; juste, au moment du départ, peut-être, à celui de mouches, de mouches indésirables que l'on chasse du revers de la main, pour ne plus y penser : nous étions ses coléoptères.

C'était un soir, à la tombée du jour. Il marchait devant nous, les mains dans les poches, entre les petites échoppes à touristes dans l'unique rue commerçante de Tinos, d'un pas impérieux, sans un regard. La terre aurait pu s'effondrer sous nos pieds, cela lui était égal ; il avançait et à nos petites jambes d'enfants terrorisés de combler l'abîme qui se creusait entre nous. Nous ne savions pas encore que c'étaient les dernières vacances qu'il passait avec nous. L'été suivant, nous accueillîmes avec soulagement et délire la nouvelle qu'il ne nous accompagnerait pas. Il nous fallut pourtant bien vite nous résigner à un autre fléau, celui de maman errant comme un fantôme sur les lieux de nos récréations et cela nous parut pire parce que par son absence même, il parvenait à nous faire plus de mal encore. Mais ce jour-là, il était bien présent et il grimpait la côte à une vitesse décourageante — je m'étais arrêtée devant un petit boui-boui éclairé au néon, la main à la taille, taraudée par un point de côté et j'en étais encore à essayer convulsivement de reprendre mon souffle quand je le vis avec terreur qui redescendait, suivi par Jean, livide, qui fixait sur moi ses grands yeux larmoyants ; je cessai de respirer. Il passa devant moi sans me voir, rentra dans la gargote, en salua le tenancier et tandis que, indécis, nous dansions d'un pied sur l'autre sur le perron, désigna quelque chose derrière le comptoir, leva une main aux doigts bien écartés pour signifier « trois », nous fit brièvement signe d'entrer et s'assit à une table, au fond du bar.

C'étaient des loukoumades, ces petits beignets parfaitement ronds qu'on lance dans l'huile bouillante le temps que l'épiderme en croustille tandis que l'intérieur reste tendre et cotonneux, puis qu'on enduit ensuite de miel et qu'on sert très chauds, dans une petite assiette, avec une fourchette et un grand verre d'eau. Voilà, c'est toujours la même chose. Je pense comme lui. Comme lui je décortique la succession des sensations, comme lui je les enrobe d'adjectifs, je les distends, je les dilate sur la distance d'une phrase, d'une mélodie verbale, et je ne laisse plus subsister de la pâture passée que des mots de prestidigitateur, qui font croire au lecteur qu'il a mangé comme nous… Je suis bien sa fille…

Il goûta un beignet, grimaça, repoussa son assiette et nous observa. Sans le voir, je sentais que, à ma droite, Jean avait toutes les peines du monde à déglutir ; quant à moi, je différais le moment de reprendre une bouchée et, statufiée, le regardais bêtement qui nous considérait.

« Tu aimes ? » me demanda-t-il de sa voix rocailleuse.

Panique et désorientation. À côté de moi, Jean haletait doucement. Je me fis violence.

« Oui, dis-je dans un marmonnement chétif.

— Pourquoi ? » poursuivit-il avec une sécheresse grandissante, mais je voyais bien que, au cœur de ses yeux qui m'inspectaient vraiment pour la première fois depuis des années, il y avait une étincelle nouvelle, inédite, comme une petite poussière d'expectative, d'espoir, inconcevable, angoissante et paralysante parce que, depuis longtemps, je m'étais accoutumée à ce qu'il n'attende rien de moi.

« Parce que c'est bon ? » risquai-je en courbant les épaules.

J'avais perdu. Combien de fois, depuis, ai-je repassé en pensée — et en images — cet épisode déchirant, ce moment où quelque chose aurait pu basculer, où l'aridité de mon enfance sans père aurait pu se métamorphoser en un amour nouveau, éclatant… Comme au ralenti, sur la toile douloureuse de mes désirs déçus, les secondes défilent ; la question, la réponse, l'attente puis l'anéantissement. La lueur dans ses yeux s'éteint aussi vite qu'elle s'est embrasée. Dégoûté, il se détourne, paye et je réintègre derechef les cachots de son indifférence.

Mais qu'est-ce que je fais ici, dans cet escalier, le cœur battant, à ressasser ces horreurs depuis longtemps dépassées — enfin, qui le devraient, qui devraient avoir capitulé, après tant d'années de souffrance nécessaire, sur le divan, à être assidue à ma propre parole et à conquérir chaque jour un peu plus le droit de n'être plus haine, de n'être plus terreur, mais seulement moi-même. Laura. Sa fille… Non. Je n'irai pas J'ai fait le deuil du père que je n'ai pas eu.

La viande

Rue de Grenelle, la chambre

Nous descendions du bateau dans la cohue, le bruit, la poussière et la fatigue de tous. Déjà, l'Espagne, traversée en deux jours harassants, n'était plus qu'un fantôme errant aux frontières de notre mémoire. Poisseux, épuisés par les kilomètres sur des routes hasardeuses, mécontents des haltes hâtives et de la restauration sommaire, écrasés de chaleur dans la voiture encombrée qui, lentement, progressait enfin sur les quais, nous vivions encore pour quelques instants dans l'univers du voyage mais pressentions déjà ce que serait l'éblouissement d'être arrivés.

Tanger. Peut-être la ville la plus forte au monde. Forte de son port, de son statut de ville charnière, ville d'embarquement et de débarquement, à mi-chemin entre Madrid et Casablanca, et forte de n'en être pas pour autant, telle Algésiras de l'autre côté du détroit, une ville portuaire. Consistante, immédiatement elle-même et en elle-même malgré la béance des quais ouverts sur l'ailleurs, animée d'une vie autosuffisante, enclave de sens à la croisée des chemins, Tanger nous happait vigoureusement à la première minute. Notre périple s'achevait. Et même si notre destination était Rabat, ville berceau de la famille de ma mère où, depuis le retour vers la France, nous passions tous les étés, à Tanger déjà, nous nous sentions arrivés. Nous garions la voiture devant l'hôtel Bristol, modeste mais propre, dans une rue escarpée qui menait vers la médina. Une douche plus tard et, à pied, nous rejoignions le théâtre d'une succulence annoncée.

C'était à l'entrée de la médina. En farandole sous les arcades de la place, quelques petits restaurants de brochettes accueillaient les passants. Nous entrions dans le « nôtre », montions à l'étage où une unique grande table vampirisait l'étroite pièce aux murs peints en bleu qui donnait sur le rond-point de la place et nous nous asseyions, l'estomac serré et excité en prévision du menu immuablement fixé qui attendait notre bon vouloir. Un ventilateur, pitoyable mais consciencieux, donnait à la pièce le charme des espaces ventés plus qu'il ne nous rafraîchissait ; le serveur empressé déposait sur le Formica un peu gluant des verres et une carafe d'eau glacée Ma mère commandait dans un arabe parfait. À peine cinq minutes et les plats arrivaient sur la table.

Peut-être ne trouverai-je pas ce que je cherche. J'aurai au moins eu l'occasion de me remémorer cela : la viande grillée, la salade mechouia, le thé à la menthe et la corne de gazelle. J'étais Ali Baba. La caverne aux trésors, c'était cela, ce rythme parfait, cette harmonie chatoyante entre des unités en elles-mêmes exquises mais dont la succession stricte et rituelle confinait au sublime. Les boulettes de viande hachée, grillées dans le respect de leur fermeté et qui cependant ne gardaient de leur passage au feu aucune trace de sécheresse, remplissaient ma bouche de carnassier professionnel d'une onde chaude, épicée, juteuse et compacte de plaisir masticatoire. Les poivrons sucrés, onctueux et frais attendrissaient mes papilles subjuguées par la rigueur virile de la viande et les préparaient de nouveau à cet assaut puissant. Il y avait de tout en abondance. Nous buvions parfois à petites gorgées de cette eau gazeuse qu'on trouve aussi en Espagne mais dont la France n'a pas de réel équivalent : une eau piquante, insolente et revigorante, sans fadeur ni excès de pétillance. Quand enfin, repus et un peu assommés, nous repoussions devant nous nos assiettes et cherchions à notre banc un dossier inexistant pour nous y reposer, le serveur apportait le thé, le versait selon le rituel consacré et déposait sur la table très fugitivement nettoyée une assiette de cornes de gazelle. Plus personne n'avait faim, mais c'est cela justement qui est bon à l'heure des pâtisseries : elles ne sont appréciables dans toute leur subtilité que lorsque nous ne les mangeons pas pour apaiser la faim et que cette orgie de douceur sucrée ne comble pas un besoin primaire mais nappe notre palais de la bienveillance du monde.

Si ma quête doit aujourd'hui me conduire quelque part, ce ne sera sans doute pas bien loin de ce contraste-là : du contraste inouï, quintessence de la civilisation, entre l'âpreté d'une viande simple et puissante et la tendresse complice d'une gourmandise superfétatoire. Toute l'histoire de l'humanité, de la tribu des prédateurs sensibles que nous sommes, est résumée par ces repas de Tanger et en explique en retour l'extraordinaire pouvoir de jubilation.

Plus jamais je ne retournerai dans cette belle cité maritime, celle où on arrive au port, au refuge si longtemps espéré dans les affres de la tempête — plus jamais. Mais qu'importe ? Je suis sur la piste de ma rédemption. C'est dans ces chemins de traverse où s'éprouve la nature de notre condition d'hommes, loin du prestige des festins luxueux de ma carrière de critique, que je dois chercher à présent l'instrument de ma délivrance.

(Georges)

Rue de Provence

La première fois, c'était chez Marquet. Il faut avoir vu cela, il faut avoir vu au moins une fois dans sa vie ce grand fauve prenant possession de la salle, cette majesté léonine, ce hochement de tête royal pour saluer le maître d'hôtel, en habitué, en hôte de marque, en propriétaire. Il reste debout, presque au milieu de la pièce, il devise avec Marquet qui vient de sortir de ses cuisines, de sa tanière, il lui pose la main sur l'épaule tandis qu'ils s'acheminent vers sa table. Il y a du monde autour d'eux, ils parlent fort, ils sont tous splendides d'arrogance et de grâce mêlées mais on sent bien qu'ils le guettent en catimini, qu'ils brillent dans son ombre, qu'ils sont suspendus à sa voix. C'est le Maître et, entouré des astres de sa cour, il dispose tandis qu'ils jacassent.

Il aura fallu que le maître d'hôtel lui glisse à l'oreille : « Il y a un de vos jeunes confrères ici, aujourd'hui Monsieur. » Il se tourna vers moi, me scruta un bref instant où je me sentis radiographié jusqu'en mes plus intimes médiocrités, se détourna. Presque aussitôt, on m'invitait à rejoindre sa table.

C'était une masterclass, un de ces jours où, endossant l'habit de guide spirituel, il conviait à déjeuner avec lui la fine fleur de la jeune critique gastronomique européenne et, en pontife reconverti à la prédication, du haut de sa chaire, apprenait le métier à quelques sectateurs époustouflés. Le Pape trônant au milieu de ses cardinaux : il y avait quelque chose d'une messe en grande pompe dans ce concile gastronomique où il régnait sans partage sur une élite recueillie. La règle était simple. On mangeait, on commentait à son gré, il écoutait, la sentence tombait. J'étais paralysé. Comme le jeune homme ambitieux mais timide que l'on introduit pour la première fois devant le Parrain, comme le provincial à sa première soirée parisienne, comme l'admirateur éperdu qui croise le chemin de la Diva, le petit cordonnier qui rencontre le regard de la Princesse, le jeune auteur qui pénètre au premier jour dans le temple de l'édition — comme eux j'étais pétrifié. C'était le Christ et à cette Cène-là, j'étais Judas, non certes de vouloir trahir mais d'être un imposteur, égaré dans l'Olympe, invité par erreur et dont la fadeur mesquine allait, d'un moment à l'autre, se révéler au grand jour. Je me tus donc tout le repas durant et il ne me sollicita pas, réservant le fouet ou la caresse de ses décrets au troupeau des habitués Au dessert, cependant, il m'interpella silencieusement. Tous glosaient sans succès autour d'une boule de sorbet à l'orange.

Sans succès : tous les critères sont subjectifs. Ce qui, à l'aune du sens commun, paraît magique et magistral, se brise pathétiquement au pied des falaises du génie. Leur conversation était étourdissante ; l'art du dire supplantait celui de la dégustation. Tous, ils promettaient, par la maestria et la précision de leurs commentaires, par la virtuosité de leurs tirades maîtrisées, qui transperçaient le sorbet d'éclairs de syntaxe, de fulgurations poétiques, de devenir un jour ces maîtres du verbe culinaire que l'aura de leur aîné ne maintenait que provisoirement dans l'ombre. Mais la sphère orangée et inégale, aux flancs presque grumeleux, continuait pourtant de se liquéfier dans l'assiette, emportant dans cette avalanche silencieuse un peu de sa réprobation. Rien ne l'agréait.

Irrité, au bord de la très mauvaise humeur, presque du dédain de soi à se laisser ainsi ferrer en si triste compagnie... ses yeux ténébreux m'accrochent, m'invitent... je me racle la gorge, terrorisé et rouge de confusion, parce que ce sorbet m'inspire beaucoup de choses mais certainement pas de celles qui peuvent être dites ici, dans ce concert et ces phrasés de haut vol, au sein de ce parterre de stratèges gourmands, face à ce génie vivant à la plume immortelle et aux prunelles de braise. Et pourtant, il le faut à présent, il faut dire quelque chose, et tout de suite encore, parce que toute sa personne respire l'impatience et l'agacement. Je me racle donc la gorge une nouvelle fois, m'humecte les lèvres, me lance.

« Ça me rappelle les sorbets que faisait ma grand-mère… »

Sur le visage infatué du jeune homme, face à moi, l'amorce d'un sourire railleur, un léger gonflé des joues aussi, préfiguration de l'éclat de rire meurtrier, de l'enterrement de première classe : bonjour, au revoir monsieur, vous êtes venu, n'y revenez pas, bien le bonsoir.

Mais lui me sourit avec une chaleur insoupçonnée, d'un grand sourire franc, sourire de loup mais de loup à loup, dans la complicité de la meute, amical, détendu, quelque chose comme un : bonjour l'ami, ça fait du bien de se trouver. Et il me dit : « Mais parlez-moi donc de votre grand-mère. »

C'est une invite, mais une menace voilée aussi. Sur cette demande en apparence bienveillante pèse la nécessité que je m'exécute et le danger qu'après si belle entrée en matière, je le déçoive. Ma réponse l'a agréablement surpris, elle tranche d'avec les morceaux de bravoure des solistes virtuoses, cela lui plaît. Pour le moment.

« La cuisine de ma grand-mère... », dis-je, et je cherche mes mots avec désespoir, en quête de la formule décisive qui justifiera et ma réponse et mon art — mon talent.

Mais, de manière inattendue, il vient à ma rescousse.

« Le croirez-vous (il me sourit presque affec tueusement), j'avais aussi une grand-mère, dont la cuisine était pour moi un antre magique. Je crois que toute ma carrière prend sa source dans les fumets et les odeurs qui s'en échappaient et qui, enfant, me rendaient fou de désir. Fou de désir, littéralement. On n'a que peu idée de ce que c'est que le désir, le véritable désir, lorsqu'il vous hypnotise, s'empare de votre âme entière, la circonvient de toutes parts, de telle sorte que vous êtes un dément, un possédé, prêt à tout pour une petite miette, pour un nuage de ce qui se concocte là, sous vos narines subjuguées par le parfum du diable ! Et puis elle débordait d'énergie, de bonne humeur ravageuse, d'une force de vie prodigieuse qui nimbait toute sa cuisine d'une vitalité éclatante et j'avais le sentiment d'être au cœur d'une matière en fusion, elle rayonnait et m'enveloppait de ce rayonnement chaud et odorant !

— J'avais plutôt l'impression de pénétrer dans le temple », dis-je soulagé, désormais en possession du nerf de mon intuition, et donc de mon argumentation (je pousse un long soupir intérieur). « Ma grand-mère n'était pas, loin s'en faut, si gaie et si radieuse. Elle incarnait plutôt une figure de la dignité austère et soumise, protestante jusqu'au bout des ongles et ne cuisinant qu'avec calme et minutie, sans passion ni tremblements, dans des soupières et des plats en porcelaine blanche qui arrivaient sur une table aux convives silencieux, mangeant sans hâte ni émotion visible des mets à en exploser d'allégresse et de plaisir.

— C'est curieux, me dit-il, c'est à sa bonne humeur et à sa sensualité méridionales que j'ai toujours attribué la réussite et la magie de cette cuisine où j'identifiais le débonnaire et le savoureux. J'ai même pensé parfois que c'étaient sa bêtise, son peu d'éducation et de culture qui faisaient d'elle une cuisinière accomplie, en libérant pour la chère toute l'énergie qui n'alimentait pas l'esprit.

— Non, dis-je après un court instant de réflexion, ce qui faisait leur art, ce n'était pas leur caractère ni leur force de vie, pas plus que leur simplicité d'esprit, leur amour du travail bien fait ou leur austérité. Je crois qu'elles avaient conscience, sans même se le dire, d'accomplir une tâche noble en laquelle elles pouvaient exceller et qui n'était qu'en apparence subalterne, matérielle ou bassement utilitaire. Elles savaient bien, par-delà toutes les humiliations subies, non en leur nom propre mais en raison de leur condition de femmes, que lorsque les hommes rentraient et s'asseyaient, leur règne à elles pouvait commencer. Et il ne s'agissait pas de la mainmise sur « l'économie intérieure » où, souveraines à leur tour, elles se seraient vengées du pouvoir que les hommes avaient à « l'extérieur ». Bien au-delà de cela, elles savaient qu'elles réalisaient des prouesses qui allaient directement au cœur et au corps des hommes et leur conféraient aux yeux de ceux-ci plus de grandeur qu'elles-mêmes n'en accordaient aux intrigues du pouvoir et de l'argent ou aux arguments de la force sociale. Elles les tenaient, leurs hommes, non pas par les cordons de l'administration domestique, par les enfants, la respectabilité ou même le lit – mais par les papilles, et cela aussi sûrement que si elles les avaient mis en cage et qu'ils s'y fussent précipités d'eux-mêmes. »

Il m'écoute avec une très grande attention et j'apprends à connaître en lui cette qualité, rare chez les hommes de pouvoir, qui permet de discerner quand cesse la parade, la conversation où chacun ne fait que marquer son territoire et manifester les signes de sa puissance, et que commence le vrai dialogue. Autour de nous, en revanche, c'est la décomposition. Le jeune présomptueux, si prompt tout à l'heure à vouloir me pourfendre de ses railleries, a désormais le teint cireux et l'œil hébété. Les autres se tiennent coi, au bord de l'abîme de la désolation. Je reprends.

« Que ressentaient-ils, ces hommes imbus d'eux-mêmes, ces " chefs " de famille, dressés depuis l'aurore, dans une société patriarcale, à devenir les maîtres, lorsqu'ils portaient à leur bouche la première bouchée des mets simples et extraordinaires que leurs femmes avaient préparés dans leurs laboratoires privés ? Que ressent un homme dont la langue jusqu'alors saturée d'épices, de sauce, de viande, de crème, de sel, se rafraîchit subitement au contact d'une longue avalanche de glace et de fruit, juste un peu rustique, juste un peu grumeleuse, afin que l'éphémère le soit un peu moins, retardé par la déliquescence plus lente des petits glaçons fruités qui se disloquent doucement... Ces hommes ressentaient le paradis, tout simplement, et même s'ils ne pouvaient se l'avouer, ils savaient bien qu'eux-mêmes ne pouvaient le donner ainsi à leurs femmes, parce que avec tout leur empire et toute leur arrogance, ils ne pouvaient les faire se pâmer comme elles les faisaient jouir en bouche ! »

Il m'interrompt sans brutalité.

« C'est très intéressant, dit-il, je vous suis

bien. Mais vous expliquez là le talent par l'injustice, le don de nos grands-mères par leur condition d'opprimées, alors qu'il y a eu bien des grands cuisiniers qui ne souffraient ni d'une infériorité de caste ni d'une existence privée de prestige ou de pouvoir. Comment conciliez-vous cela avec votre théorie ?

— Aucun cuisinier ne cuisine, n'a jamais cuisiné comme nos grands-mères. Tous les facteurs que nous évoquons ici (et je souligne légèrement le " nous " pour bien signifier qu'à cette heure, c'est moi qui officie) ont produit cette cuisine si spécifique, celle des femmes à la maison, dans la clôture de leurs intérieurs privés : une cuisine qui, parfois, manque de raffinement, qui comporte toujours ce petit côté " familial ", c'est-à-dire consistant et nourrissant, fait pour " tenir au ventre " — mais qui est, au fond et surtout, d'une sensualité torride, par où nous comprenons que lorsque nous parlons de " chair ", ce n'est pas un hasard si cela évoque conjointement les plaisirs de la bouche et ceux de l'amour. Leur cuisine, c'étaient leurs appas, leurs charmes, leur séduction — et c'est cela qui l'inspirait et la faisait à nulle autre pareille. »

Il me sourit de nouveau. Puis devant les épigones déconfits, anéantis parce qu'ils ne comprennent pas, parce qu'ils ne peuvent pas comprendre qu'après avoir joué les équilibristes de la gastronomie, qu'après avoir érigé des temples à la gloire de la déesse Bouffe, ils sont refaits par un pauvre bâtard de chiot qui ramène dans sa gueule penaude un vieil os rongé, tout nu, tout jaune, devant eux donc en grand deuil, il me dit : « Pour que nous puissions poursuivre tranquillement cette passionnante discussion, me ferez-vous le plaisir de déjeuner demain avec moi, chez Lessière ? »

J'ai appelé Anna tout à l'heure et j'ai compris que je n'irais pas. Plus. Plus jamais. Ainsi prend fin une épopée, celle de mon apprentissage qui, comme dans les romans de même nom, s'en est allé d'émerveillements en ambitions, d'ambitions en désillusions et de désillusions en cynisme. Le jeune homme que j'étais, un peu timide, très sincère, est devenu un critique influent, craint, écouté, sorti de la meilleure école, arrivé dans le meilleur monde, mais qui, de jour en jour et avant l'heure, se sent de plus en plus vieux, de plus en plus las, de plus en plus inutile : un géronte caquetant et plein de fiel, ressassant un meilleur de lui-même qui s'effrite inexorablement et augure d'une vieillesse de vieux con lucide et pitoyable. Est-ce ce qu'il ressent à présent ? Était-ce cela qui infiltrait en filigrane ses paupières un peu lasses d'un soupçon de tristesse, d'une pincée de nostalgie ? Suis-je en train de marcher dans ses pas, de faire l'expérience des mêmes regrets, des mêmes errements ? Ou bien ne suis-je qu'à l'heure de m'apitoyer sur mon sort, loin, si loin du lustre de ses pérégrinations intimes ? Je ne le saurai jamais.

Le roi est mort. Vive le roi.

Le poisson

Rue de Grenelle, la chambre

Tous les étés, nous ralliions la Bretagne. C'était encore l'époque où les classes ne reprenaient qu'à la mi-septembre ; mes grands-parents, récemment enrichis, louaient sur la côte, à la fin de la saison, de grandes maisons où se réunissait toute la famille. C'était un temps miraculeux. Je n'étais pas encore assez âgé pour apprécier que ces gens simples, qui avaient travaillé dur toute leur vie et à qui, tardivement, le destin avait été favorable, choisissent de dépenser avec les leurs et de leur vivant un argent que d'autres eussent conservé sous leur matelas de laine. Mais je savais déjà que nous, les petits, étions choyés avec une intelligence qui me sidère encore, moi qui n'ai su que gâter mes propres enfants — gâter au sens strict du terme. Je les ai pourris et décomposés, ces trois êtres sans saveur sortis des entrailles de ma femme, présents que je lui faisais négligemment en échange de son abnégation d'épouse décorative — terribles présents, si j'y songe aujourd'hui, car que sont les enfants sinon de monstrueuses excroissances de nous-mêmes, de pitoyables substituts à nos désirs non réalisés ? Ils ne sont dignes d'intérêt pour qui, comme moi, a déjà de quoi jouir dans la vie, que lorsqu'ils partent enfin et deviennent autre chose que vos fils ou filles. Je ne les aime pas, je ne les ai jamais aimés et n'en conçois aucun remords. Qu'ils perdent, eux, leur énergie à me haïr de toutes leurs forces ne me regarde pas — la seule paternité que je revendique, c'est celle de mon œuvre. Et encore : cette saveur enfouie et introuvable m'en fait presque douter.

Mes grands-parents, eux, nous aimaient à leur façon : sans partage. Ils avaient fait de leurs propres enfants une brochette de névropathes et de dégénérés — un fils mélancolique, une fille hystérique, une autre suicidée, jusqu'à mon père qui avait évité la folie au prix de toute fantaisie et avait pris femme à son image : le garde-fou de mes parents, c'étaient leur tiédeur et leur médiocrité appliquées qui les protégeaient de l'excès, c'est-à-dire de l'abîme. Mais seul rayon de soleil dans l'existence de ma mère, j'étais son dieu et un dieu je suis resté, ne gardant rien de sa triste figure, de sa cuisine sans vie et de sa voix un peu plaintive, mais conservant tout de son amour qui me dotait de la certitude des rois. Avoir été adulé par sa mère… Grâce à elle j'ai conquis des empires, j'ai abordé la vie avec cette brutalité irrésistible qui m'a ouvert les portes de la gloire. Enfant comblé, j'ai pu devenir un homme impitoyable, grâce à l'amour d'une mégère que seul, finalement, son manque d'ambition résignait à la douceur.

Avec leurs petits-enfants, en revanche, mes grands-parents étaient les plus charmants des individus. Le talent débonnaire et malicieux de leur être profond, ligoté par leur fardeau de parents, s'épanouissait dans leur licence d'aïeuls. L'été respirait la liberté. Tout semblait possible dans cet univers d'explorations, d'expéditions joyeuses et faussement secrètes à la nuit tombée sur les rochers de la plage ; dans cette générosité inouïe qui conviait à notre table tous les voisins de hasard de ces jours estivaux. Ma grand-mère officiait aux fourneaux, avec une altière tranquillité. Elle pesait plus de cent kilos, avait de la moustache, riait comme un homme et glapissait après nous, quand nous nous aventurions dans la cuisine, avec une grâce de camionneur. Mais sous l'effet de ses mains expertes, les substances les plus anodines devenaient des miracles de la foi. Le vin blanc coulait à flots et nous mangions, mangions, mangions. Oursins, huîtres, moules, crevettes grillées, crustacés à la mayonnaise, calamars en sauce mais aussi (« on ne se refait pas ») daubes, blanquettes, paellas, volailles rôties, en cocotte, à la crème ; il en pleuvait.

Une fois dans le mois, mon grand-père prenait au petit déjeuner une mine sévère et solennelle, se levait sans un mot et partait seul vers la criée. Nous savions alors que c'était LE jour. Ma grand-mère levait les yeux au ciel, bougonnait que « ça allait encore puer pendant des siècles » et marmonnait quelque chose de désobligeant sur les qualités culinaires de son mari. Moi, ému jusqu'aux larmes à la perspective de ce qui allait suivre, j'avais beau savoir qu'elle plaisantait, je lui en voulais fugitivement de ne pas courber la tête avec humilité en ce moment sacré. Une heure plus tard mon grand-père revenait du port avec une énorme caisse qui sentait la marée. Il nous expédiait à la plage, nous, les « mioches », et nous partions tout tremblants d'excitation, déjà revenus en pensée mais dociles et soucieux de ne pas le contrarier. Lorsque à une heure nous rentrions de bains pris distraitement, dans l'attente éperdue du déjeuner, nous humions déjà à l'angle de la rue l'odeur céleste. J'en aurais sangloté de bonheur.

Les sardines grillées embaumaient tout le quartier de leur fumet océanique et cendré. Une épaisse fumée grise s'échappait des thuyas qui entouraient le jardin. Les hommes des maisons voisines étaient venus prêter main-forte à mon pépé. Sur d'immenses grilles, les petits poissons argentés croustillaient déjà au vent de midi. On riait, on parlait, on débouchait les bouteilles de blanc sec bien glacé, les hommes s'asseyaient enfin et les femmes sortaient de la cuisine avec leurs piles d'assiettes immaculées. Adroitement, ma grand-mère saisissait un petit corps dodu, en reniflait le parfum et l'expédiait dans l'assiette en compagnie de quelques autres. Avec ses bons yeux idiots, elle me regardait gentiment et disait : « Tiens, eh petit, la première c'est pour toi ! Dame, c'est qu'il aime ça, çuilà ! » Et tout le monde s'esclaffait, on me tapait dans le dos tandis que la prodigieuse pitance atterrissait devant moi. Je n'entendais plus rien. Les yeux exorbités, je fixais l'objet de mon désir ; la peau grise et cloquée, sillonnée de longues traînées noires, n'adhérait même plus aux flancs qu'elle recouvrait. Mon couteau incisait le dos de la bête et divisait avec soin la chair blanchâtre, cuite à point, qui se détachait en lamelles bien fermes, sans un soupçon de résistance.

Il y a dans la chair du poisson grillé, du plus humble des maquereaux au plus raffiné des saumons, quelque chose qui échappe à la culture. C'est ainsi que les hommes, apprenant à cuire leur poisson, durent éprouver pour la première fois leur humanité, dans cette matière dont le feu révélait conjointement la pureté et la sauvagerie essentielles. Dire de cette chair qu'elle est fine, que son goût est subtil et expansif à la fois, qu'elle excite les gencives, à mi-chemin entre la force et la douceur, dire que l'amertume légère de la peau grillée alliée à l'extrême onctuosité des tissus serrés, solidaires et puissants qui emplissent la bouche d'une saveur d'ailleurs fait de la sardine grillée une apothéose culinaire, c'est tout au plus évoquer la vertu dormitive de l'opium. Car ce qui se joue là, ce n'est ni finesse, ni douceur, ni force, ni onctuosité mais sauvagerie. Il faut être une âme forte pour s'affronter à ce goût-ci ; il recèle bien en lui, de la manière la plus exacte, la brutalité primitive au contact de laquelle notre humanité se forge. Il faut être une âme pure, aussi, qui sait mastiquer vigoureusement, à l'exclusion de tout autre aliment ; je dédaignais les pommes de terre et le beurre salé que ma grand-mère posait à côté de mon assiette et je dévorais sans relâche les lambeaux de poisson.

La viande est virile, puissante, le poisson est étrange et cruel. Il vient d'un autre monde, celui d'une mer secrète qui jamais ne se livrera, il témoigne de l'absolue relativité de notre existence et pourtant, il se donne à nous dans le dévoilement éphémère d'une contrée inconnue. Lorsque je savourais ces sardines grillées, en autiste que rien, à cette heure, ne pouvait troubler, je savais que je me rendais humain par cette extraordinaire confrontation avec une sensation venue d'ailleurs et qui m'apprenait par contraste ma qualité d'homme. Mer infinie, cruelle, primitive, raffinée, nous happons de nos bouches avides les produits de ta mystérieuse activité. La sardine grillée nimbait mon palais de son bouquet direct et exotique et je grandissais à chaque bouchée, je m'élevais à chaque caresse sur ma langue des cendres maritimes de la peau craquelée.

Mais ce n'est pas encore cela que je cherche. J'ai fait affleurer à ma mémoire des sensations oubliées, enterrées sous la magnificence de mes banquets de roi, j'ai renoué avec les premiers pas de ma vocation, j'ai exhumé les effluves de mon âme d'enfant. Et ce n'est pas cela. Le temps qui presse, à présent, dessine les contours incertains mais terrifiants de mon échec final. Je ne veux pas renoncer. Je fais un effort démesuré pour me souvenir. Et si en fin de compte ce qui me nargue ainsi n'était même pas savoureux ? Telle l'abominable madeleine de Proust, cette bizarrerie pâtissière éparpillée, par un sinistre et terne après-midi, en débris spongieux dans, offense suprême, une cuillerée de tisane, mon souvenir n'est peut-être en définitive associé qu'à un mets médiocre dont seule l'émotion qui lui est attachée demeure précieuse et me révélerait un don de vivre jusqu'alors incompris.

(Jean)

Café des Amis, XVIIIe

Vieille outre purulente. Charogne putride. Crève, mais crève donc. Creve dans tes draps de soie, dans ta chambre de pacha, dans ta cage de bourgeois, crève, crève, crève. Au moins, on aura ton fric, à défaut d'avoir eu ta faveur. Tout ton fric de ponte de la bouffe, qui ne te sert plus à rien, qui ira à d'autres, ton fric de propriétaire, le fric de ta corruption, de tes activités de parasite, toute cette bouffe, tout ce luxe, ah quel gaspillage... Crève... Autour de toi, ils se pressent tous — maman, maman devrait pourtant bien te laisser mourir seul, t'abandonner comme tu l'as abandonnée, mais elle ne le fait pas, elle reste là, inconsolable, à croire qu'elle est en train de tout perdre. Je ne comprendrai jamais cela, cet aveuglement, cette résignation, et cette faculté qu'elle a de se convaincre qu'elle a eu la vie qu'elle désirait, cette vocation de sainte martyre, ah, merde, ça me débecte, maman, maman... Et puis il y a cet enculé de

Paul, avec ses airs de fils prodigue, ses tartufferies d'héritier spirituel, qui doit ramper autour du lit, veux-tu un coussin mon oncle, veux-tu que je te lise quelques pages de Proust, de Dante, de Tolstoï ? Je ne peux pas le blairer, ce mec-là, une belle ordure, un bon bourgeois avec ses airs de grand notable et qui se tape des putes rue Saint-Denis, je l'ai vu, oui, je l'ai vu qui sortait d'un immeuble par là… Oh et puis à quoi ça rime, hein, à quoi ça rime de remuer tout ça, de remuer mon aigreur de vilain petit canard et de lui donner raison : mes enfants sont des imbéciles, il disait ça tranquillement devant nous, tout le monde était gêné, sauf lui, il ne voyait même pas en quoi c'était *choquant* non seulement de le dire mais de le penser ! Mes enfants sont des imbéciles, mais surtout mon fils. On n'en fera jamais rien. Mais si, père, tu en as fait quelque chose de tes marmots, ils ne sont rien d'autre que ton œuvre, tu les as hachés menu, débités, noyés dans une mauvaise sauce et voilà ce qu'ils sont devenus : de la boue, des ratés, des faibles, des minables. Et pourtant ! Pourtant tu aurais pu en faire des dieux, de tes mômes ! Je me souviens comme j'étais fier lorsque je sortais avec toi, quand tu m'emmenais au marché, au restaurant ; j'étais tout petit, et toi, tu étais si grand, avec ta grosse main chaude qui me tenait fermement, et ton profil, en contre-plongée, ce profil d'empereur, et cette crinière de lion ! Tu avais fière allure et j'étais comblé, comblé d'avoir un père tel que toi... Et me voici plein de sanglots, la voix brisée, le cœur rompu, détruit ; je te hais, je t'aime et je me hais à en hurler de cette ambivalence, cette putain d'ambivalence qui a bousillé ma vie, parce que je suis resté ton fils, parce que je n'ai jamais rien été d'autre que le fils d'un monstre !

Le calvaire, ce n'est pas de quitter ceux qui vous aiment, c'est de se détacher de ceux qui ne vous aiment pas. Et ma triste vie se passe à désirer ardemment ton amour refusé, cet amour absent, ô bonté divine, n'ai-je donc rien de mieux à faire que de pleurer sur mon triste sort de pauvre petit garçon mal-aimé ? Il y a pourtant bien plus important, je vais mourir bientôt moi aussi, et tout le monde s'en fout, et je m'en fous moi aussi, je m'en fous parce que, en ce moment, il est en train de crever et que je l'aime ce salaud, je l'aime, oh merde...

Le potager

Rue de Grenelle, la chambre

La maison de ma tante Marthe, une vieille masure engloutie par le lierre, avait, en raison de sa façade ornée d'une fenêtre condamnée, un petit air borgne qui seyait parfaitement aux lieux et à leur occupante. Tante Marthe, l'aînée des sœurs de ma mère et la seule à n'avoir pas hérité d'un surnom, était par le fait une vieille fille revêche, laide et malodorante qui vivait entre poulailler et cages à lapin dans une invraisemblable pestilence. À l'intérieur, comme il allait de soi, ni eau, ni électricité, ni téléphone, ni télévision. Mais surtout, par-delà ces manquements au confort moderne auxquels mon amour des virées campagnardes me rendait indifférent, nous souffrions chez elle de la confrontation à un fléau autrement plus préoccupant : rien, dans sa maison, qui ne poissât, qui ne collât aux doigts qui voulaient se saisir d'un ustensile, au coude qui heurtait malencontreusement un meuble ; même l'œil voyait, littéralement, la pellicule visqueuse recouvrant toutes choses. Nous ne déjeunions ni ne dînions jamais avec elle et, trop heureux de pouvoir arguer de pique-niques impératifs (« Par un si beau temps, ce serait un crime de ne pas déjeuner au bord de la Golotte »), nous partions au loin le cœur soulagé.

La campagne. Toute ma vie, j'aurai vécu dans la ville, ivre des marbres qui pavent le vestibule de mon domicile, du tapis rouge qui y feutre les pas et les sentiments, des verres de Delft qui en ornent la cage d'escalier et des boiseries luxueuses qui tapissent discrètement ce petit boudoir précieux que l'on appelle ascenseur. Chaque jour, chaque semaine, revenu de mes repas provinciaux, je réintégrais l'asphalte, le vernis distingué de ma résidence bourgeoise, j'enfermais ma soif de verdure entre quatre murs écrasés de chefs-d'œuvre et j'oubliais toujours un peu plus que je suis né pour les arbres. La campagne... Ma cathédrale verte... Mon cœur y aura chanté ses plus fervents cantiques, mon œil y aura appris les secrets du regard, mon goût les saveurs du gibier et du potager et mon nez l'élégance des parfums. Car malgré son antre nauséabond, tante Marthe possédait un trésor. J'ai rencontré les plus grands spécialistes de tout ce qui touche, de près ou de loin, au monde de la saveur. Qui est cuisinier ne peut l'être pleinement que par la mobilisation de ses cinq sens. Un mets doit être un régal pour le regard, l'odorat, le goût bien sûr — mais aussi le toucher, qui oriente le choix du chef dans tant d'occasions et joue son rôle dans la fête gastronomique. Il est vrai que l'ouïe semble un peu en retrait de la valse ; mais manger ne se fait pas en silence, non plus que dans le vacarme, tout son qui interfère avec la dégustation y participe ou la contrarie, de telle sorte que le repas est résolument kinesthésique. Je fus ainsi souvent amené à festoyer avec quelques experts en senteur, alléchés par les fumets échappés des cuisines après l'avoir été par ceux qui émigrent des fleurs.

Aucun, jamais, n'égalera en finesse le nez de tante Marthe. Car la vieille haridelle était un Nez, un vrai, un grand, un immense Nez qui s'ignorait mais dont la sensibilité inouïe n'aurait souffert, s'il s'en était présenté, aucune concurrence. Ainsi, cette femme fruste, presque analphabète, ce rebut d'humanité dardant sur son entourage des relents de pourriture, avait dessiné un jardin aux effluves de paradis. Dans un savant enchevêtrement de fleurs sauvages, de chèvrefeuille, de roses anciennes à la teinte fanée savamment entretenue, un potager saupoudré de pivoines éclatantes et de sauge bleue s'enorgueillissait des plus belles laitues de la région. Des cascades de pétunias, des bosquets de lavande, quelques buis inaltérables, une glycine ancestrale au fronton de la maison : de ce fouillis orchestré se dégageait le meilleur d'elle-même que ni la saleté, ni les exhalaisons fétides, ni le sordide d'une existence consacrée à la vacuité ne parvenaient à ensevelir. Combien de vieilles femmes à la campagne sont ainsi douées d'une intuition sensorielle hors du commun, qu'elles mettent au service du jardinage, des potions aux herbes ou des ragoûts de lapin au thym et, génies méconnus, meurent tandis que leur don aura été ignoré de tous — car nous ne savons pas, le plus souvent, que ce qui nous paraît si anodin et si dérisoire, un jardin chaotique au cœur de la campagne, peut relever de la plus belle des œuvres d'art. Dans ce rêve de fleurs et de légumes, j'écrasais sous mes pieds brunis l'herbe sèche et touffue du jardin et je m'enivrais des parfums.

Et d'abord de celui des feuilles de géranium que, couché à plat ventre parmi les tomates et les petits pois, je froissais entre mes doigts en me pâmant de plaisir : une feuille à la légère acidité, suffisamment pointue dans son insolence vinaigrée mais pas assez pour ne pas évoquer, en même temps, le citron confit à l'amertume délicate, avec un soupçon de l'odeur aigre des feuilles de tomate, dont elles conservent à la fois l'impudence et le fruité ; c'est cela qu'exhalent les feuilles de géranium, c'est cela dont je me saoulais, le ventre contre la terre du potager et la tête dans les fleurs où je fourrais mon nez avec la concupiscence des affamés. Ô magnifiques souvenirs d'un temps où j'étais le souverain d'un royaume sans artifices... Par bataillons, légions rouges, blanches, jaunes ou roses, se remplumant tous les ans de nouvelles recrues jusqu'à devenir armée aux rangs solidaires, les œillets se dressaient fièrement aux quatre coins de la cour et, par un miracle inexpliqué, ne s'affaissaient pas sous le poids de leurs tiges trop longues mais la surmontaient crânement de cette curieuse corolle ciselée, incongrue en sa configuration serrée et renfrognée et qui diffusait alentour une fragrance poudrée, de celles que répandent les belles qui vont le soir au bal...

Surtout, il y avait le tilleul. Immense et dévorant, il menaçait d'année en année de submerger la maison de ses ramages tentaculaires qu'elle se refusait obstinément à faire tailler et il était hors de question de discuter la chose. Aux heures les plus chaudes de l'été, son ombrage importun offrait la plus odorante des tonnelles. Je m'asseyais sur le petit banc de bois vermoulu, contre le tronc, et j'aspirais à grandes goulées avides l'odeur de miel pur et velouté qui s'échappait de ses fleurs d'or pâle. Un tilleul qui embaume dans la fin du jour, c'est un ravissement qui s'imprime en nous de manière indélébile et, au creux de notre joie d'exister, trace un sillon de bonheur que la douceur d'un soir de juillet à elle seule ne saurait expliquer. À humer à pleins poumons, dans mon souvenir, un parfum qui n'a plus effleuré mes narines depuis longtemps déjà, j'ai compris enfin ce qui en faisait l'arôme ; c'est la connivence du miel et de l'odeur si particulière qu'ont les feuilles des arbres, lorsqu'il a fait chaud longtemps et qu'elles sont empreintes de la poussière des beaux jours, qui provoque ce sentiment, absurde mais sublime, que nous buvons dans l'air un concentré de l'été. Ah, les beaux jours ! Le corps libre des entraves de l'hiver éprouve enfin la caresse de la brise sur sa peau nue, offerte au monde auquel elle s'ouvre démesurément dans l'extase d'une liberté retrouvée... Dans l'air immobile, saturé du bourdonnement d'insectes invisibles, le temps s'est arrêté... Les peupliers, le long des chemins de halage, chantent aux alizés une mélodie de bruissements verdoyants, entre lumière et ombre chatoyante... Une cathédrale, oui, une cathédrale de verdure éclaboussée de soleil m'environne de sa beauté immédiate et claire... Même le jasmin, à la tombée de la nuit, dans les rues de Rabat, ne sera pas parvenu à une telle puissance d'évocation... Je remonte le fil d'une saveur attachée au tilleul... Bercement langoureux des rameaux, une abeille butine à la lisière de ma vision... Je me souviens...

Elle l'avait cueillie, elle entre toutes les autres, sans un instant d'hésitation. J'ai appris depuis que c'est cela, l'excellence, cette impression d'aisance et d'évidence là où nous savons pourtant qu'il faut des siècles d'expérience, une volonté d'acier et une discipline de moine. D'où tenait-elle cette science-là, la tante Marthe, une science faite d'hydrométrie, de rayonnement solaire, de maturation biologique, de photosynthèse, d'orientations géodésiques et de bien d'autres facteurs que mon ignorance ne se risquera pas à énumérer ? Car ce que l'homme ordinaire connaît d'expérience et de réflexion, elle le savait d'instinct. Son discernement aigu balayait la surface du potager et en prenait la mesure climatique, en une microseconde indécelable à l'appréhension courante du temps — et elle savait. Elle savait aussi sûrement et avec la même nonchalance que si j'avais dit : il fait beau, elle savait lequel de ces petits dômes rouges il fallait cueillir *maintenant.* Dans sa main sale et déformée par le travail des champs, il reposait, cramoisi dans sa parure de soie tendue à peine vallonnée de quelques creux plus tendres ; la bonne humeur en était communicative, celle d'une dame un peu grassouillette comprimée dans sa robe de fête mais compensant cette contrariété par un potelé désarmant qui donnait l'envie irrésistible d'y croquer à belles dents. Affalé sur le banc, sous le tilleul, je me réveillais d'une sieste voluptueuse bercée par le chant des feuilles et, sous cet auvent de miel sucré, je mordais dans le fruit, je mordais dans la tomate.

En salade, au four, en ratatouille, en confitures, grillées, farcies, confites, cerises, grosses et molles, vertes et acides, honorées d'huile d'olive, de gros sel, de vin, de sucre, de piment, écrasées, pelées, en sauce, en compote, en écume, en sorbet même : je croyais en avoir fait le tour et, en plus d'une occasion, en avoir percé le secret, au gré de chroniques inspirées par les cartes des plus grands. Quel idiot, quelle pitié... J'ai inventé des mystères là où il n'y en avait pas et pour justifier un bien pitoyable commerce. Qu'est-ce qu'écrire, fût-ce des chroniques somptueuses, si elles ne disent rien de la vérité, peu soucieuses du cœur, inféodées qu'elles sont au plaisir de briller ? La tomate, pourtant, je la connaissais depuis toujours, depuis le jardin de tante Marthe, depuis l'été qui gorge la petite excroissance chétive d'un soleil de plus en plus ardent, depuis la déchirure qu'y faisaient mes dents pour asperger ma langue d'un jus généreux, tiède et riche que la fraîcheur des réfrigérateurs, l'affront des vinaigres et la fausse noblesse de l'huile masquent en sa générosité essentielle. Sucre, eau, fruit, pulpe, liquide ou solide ? La tomate crue, dévorée dans le jardin sitôt récoltée, c'est la corne d'abondance des sensations simples, une cascade qui essaime dans la bouche et en réunit tous les plaisirs. La résistance de la peau tendue, juste un peu, juste assez, le fondant des tissus, de cette liqueur pépineuse qui s'écoule au coin des lèvres et qu'on essuie sans crainte d'en tacher ses doigts, cette petite boule charnue qui déverse en nous des torrents de nature : voilà la tomate, voilà l'aventure.

Sous le tilleul centenaire, entre parfums et papilles, je croquais les belles pourpres choisies par la tante Marthe avec le sentiment confus de côtoyer une vérité capitale. Une vérité capitale mais qui n'est toujours pas celle que je poursuis aux portes de la mort. Il est dit que je boirai ce matin jusqu'à la lie le désespoir de m'égarer ailleurs que là où m'appelle mon cœur. La tomate crue, ce n'est pas encore cela… et voilà que surgit une autre crudité

(Violette)

Rue de Grenelle, la cuisine

Pauvre Madame. La voir comme cela, une vraie âme en peine, elle ne sait même plus quoi faire. Il est vrai qu'il est si mal... Je ne l'ai pas reconnu ! Comme on peut changer en une journée, on n'a pas idée — Violette, m'a dit Madame, il veut un plat, tu comprends, il veut un plat, mais il ne sait pas lequel. Je n'ai pas compris tout de suite. Il veut un plat, Madame, ou il n'en veut pas ? Il cherche, il cherche ce qui lui ferait plaisir, m'a-t-elle répondu, mais il ne trouve pas. Et elle se tordait les mains, on n'a pas idée de se torturer comme ça pour un plat alors qu'on va mourir, si je devais mourir demain, c'est bien sûr que je ne m'inquiéterais pas de manger !

Moi, ici, je fais tout. Enfin presque. Quand je suis arrivée, il y a trente ans, c'était comme femme de ménage. Madame et Monsieur venaient tout juste de se marier, ils avaient un peu de bien, je pense, mais pas tant que ça, tout de même. Juste de quoi prendre une femme de ménage trois fois la semaine. C'est après que c'est venu, l'argent, beaucoup d'argent, je voyais bien que ça allait très vite et qu'ils comptaient qu'il y en aurait de plus en plus, parce qu'ils ont déménagé dans ce grand appartement, le même qu'aujourd'hui, et Madame a entrepris tout un tas de travaux, elle était très gaie, elle était heureuse, ça se voyait, et elle était si jolie ! Alors quand Monsieur a eu une situation bien assise, ils ont embauché d'autres domestiques et moi, Madame m'a gardée comme « gouvernante », mieux payée, à plein temps. pour « superviser » les autres : la femme de ménage, le majordome, le jardinier (il n'y a qu'une grande terrasse ; mais le jardinier trouve toujours à faire, en fait c'est mon mari, alors il y aura toujours de l'ouvrage pour lui). Mais attention : il ne faut pas croire que ce n'est pas du travail, je cours toute la journée, j'ai des inventaires à faire, des listes, des ordres à donner et sans vouloir faire mon importante, si je n'étais pas là, franchement, rien ne tournerait rond dans cette maison.

Je l'aime bien, Monsieur. Je sais qu'il a des torts, et déjà celui d'avoir rendu cette pauvre Madame si malheureuse, pas seulement aujourd'hui mais depuis le début, à être toujours parti, à revenir sans demander de nouvelles, à la regarder comme si elle était transparente et à lui offrir des présents comme on donne un pourboire. Sans parler des enfants. Je me demande si Laura viendra. Je croyais, avant, que lorsqu'il serait vieux, tout s'arrangerait, qu'il finirait par s'attendrir, et puis les petits-enfants, ça réconcilie les parents et les enfants, on ne peut pas résister. Bien sûr, Laura n'a pas d'enfants. Mais tout de même. Elle pourrait bien venir…

J'aime bien Monsieur pour deux raisons. D'abord parce qu'il a toujours été poli et gentil avec moi, et aussi avec Bernard, mon mari. Plus poli et gentil qu'avec sa femme et ses gosses. Il est comme ça, il prend des manières pour dire : « Bonjour, Violette, comment allez-vous ce matin ? Votre fils va mieux ? », alors qu'il ne salue plus sa femme depuis vingt ans. Le pire, c'est qu'il a l'air sincère avec sa bonne grosse voix bien gentille, il n'est pas fier, non, pas du tout, il est toujours très courtois avec nous. Et il me regarde, il prête attention à ce que je lui dis, il sourit parce que je suis toujours de bonne humeur, toujours à faire quelque chose, je ne me repose jamais et je sais qu'il écoute mes réponses parce qu'il me répond à moi aussi quand je lui retourne la question : « Et vous, Monsieur, comment allez-vous ce matin ? — Bien, bien, Violette, mais j'ai beaucoup de retard dans mon travail et ça ne s'arrange pas, il faut que j'y aille », et il me fait un clin d'œil avant de disparaître dans le couloir. Ce n'est pas à sa femme qu'il ferait ça. Il aime bien les gens comme nous, Monsieur, il nous préfère, ça se sent. Je pense qu'il est plus à l'aise avec nous qu'avec tous ces gens de la haute qu'il fréquente : on voit bien qu'il est content de leur plaire, de les épater, de les gaver, de les regarder l'écouter, mais il ne les aime pas ; ce n'est pas son monde.

La deuxième raison pour laquelle j'aime bien Monsieur, c'est un peu difficile à dire... c'est parce qu'il pète au lit ! La première fois que j'ai entendu ça, je n'ai pas compris ce que j'avais entendu, pour ainsi dire... Et puis ça s'est reproduit encore une fois, il était sept heures du matin, ça venait du couloir du petit salon où Monsieur dormait parfois quand il rentrait tard le soir, une sorte de détonation, un couac, mais alors vraiment très fort, je n'avais jamais rien entendu de pareil ! Et puis j'ai compris, et j'ai eu un fou rire, mais un fou rire ! J'étais pliée en deux, j'avais mal au ventre, j'ai eu la présence d'esprit quand même d'aller aux cuisines, je me suis assise sur le banc, j'ai cru que je ne reprendrais jamais mon souffle ! Depuis ce jour, j'ai eu de la sympathie pour Monsieur, oui, de la sympathie, parce que mon mari aussi pète au lit (mais pas si fort quand même). Un homme qui pète au lit, ma grand-mère le disait, c'est un homme qui aime la vie. Et puis, je ne sais pas : ça me l'a rendu plus proche…

Je sais bien, moi, ce qu'il veut, Monsieur. Ce n'est pas un plat, ce n'est pas à manger. C'est la belle dame blonde qui est venue ici il y a vingt ans, avec un air triste, une dame très douce, très élégante, qui m'a demandé : « Monsieur est chez lui ? » J'ai répondu : « Non, mais Madame y est. » Elle a haussé un sourcil, j'ai bien vu qu'elle était surprise, et puis elle a tourné les talons et je ne l'ai plus jamais revue, mais je suis sûre qu'il y avait quelque chose entre eux et que s'il n'aimait pas sa femme, c'est parce qu'il regrettait la grande dame blonde au manteau de fourrure.

Le cru

Rue de Grenelle, la chambre

La perfection, c'est le retour. C'est pourquoi seules les civilisations décadentes en sont susceptibles . c'est au Japon, où le raffinement a atteint des sommets inégalés, au cœur d'une culture millénaire qui a apporté à l'humanité ses plus hautes contributions, que le retour au cru, réalisation dernière, a été possible. C'est au sein de la vieille Europe qui, comme moi, n'en finit pas de mourir, que l'on a mangé pour la première fois depuis la préhistoire de la viande crue tout juste additionnée de quelques aromates.

Le cru. Comme il est vain de croire qu'il se résume à la dévoration brute d'un produit non préparé ! Tailler dans le poisson cru, c'est comme tailler dans la pierre. Au novice, le bloc de marbre semble monolithique. Qu'il tente d'y apposer son burin au hasard et d'y porter un coup, c'est l'outil qui lui saute des mains tandis que la pierre inentamée conserve son intégrité. Un bon marbrier connaît la matière. Il pressent où l'entaille, déjà présente mais attendant que quelqu'un la révèle, cédera sous son assaut et, au millimètre près, il a déjà deviné comment se dessinera la figure que seuls les ignorants imputent à la volonté du sculpteur. Celui-ci, au contraire, ne fait que la dévoiler — car son talent ne consiste pas à inventer des formes mais à en faire surgir qui étaient invisibles.

Les cuisiniers japonais que je connais ne sont passés maîtres dans l'art du poisson cru qu'après de longues années d'apprentissage, où la cartographie de la chair, peu à peu, se dévoile dans l'évidence. Certains, il est vrai, ont déjà le talent de sentir, sous leurs doigts, les lignes de faille par où la bête offerte peut se transformer en ces sashimis délectables que les experts parviennent à exhumer des entrailles sans goût du poisson. Mais ils ne deviennent tout de même des artistes qu'après avoir dompté ce don inné et appris que l'instinct seul ne suffit pas : encore faut-il de l'habileté pour trancher, du discernement pour viser le meilleur et du caractère pour récuser le médiocre. Au plus grand de tous, le chef Tsuno, il arrivait de n'extraire d'un gigantesque saumon qu'un seul petit morceau en apparence dérisoire. En la matière, de fait, la prolixité ne signifie rien, la perfection ordonne tout. Une petite parcelle de matière fraîche, seule, nue, crue : parfaite.

Je l'avais connu dans son grand âge, alors qu'il avait déserté ses propres cuisines et, derrière le bar, observait les clients sans plus toucher aux plats. Une fois de temps en temps, cependant, en l'honneur d'un hôte ou d'une occasion particuliers, il reprenait son ouvrage — mais pour des sashimis uniquement. Ces dernières années, ces occasions déjà exceptionnelles étaient devenues de plus en plus rares, jusqu'à constituer des événements extraordinaires.

J'étais un jeune critique alors, dont la carrière n'en était qu'à ses prémices prometteuses et je dissimulais encore une arrogance qui eût pu passer pour prétention et qui ne serait que plus tard reconnue pour la marque de mon génie. C'est donc avec une feinte humilité que je m'étais assis au bar du Oshiri, seul, pour un dîner que j'escomptais honorable. Je n'avais jamais goûté de poisson cru de ma vie et en espérais un plaisir nouveau. Rien dans ma carrière de gastronome en herbe, de fait, ne m'avait préparé à cela. Je n'avais à la bouche, sans en comprendre la signification, que le mot « terroir » — mais je sais aujourd'hui qu'il n'y a de « terroir » que par la mythologie qu'est notre enfance, et que si nous inventons ce monde de traditions enracinées dans la terre et l'identité d'une contrée, c'est parce que nous voulons solidifier, objectiver ces années magiques et à jamais révolues qui ont précédé l'horreur de devenir adulte. Seule la volonté forcenée qu'un monde disparu perdure malgré le temps qui passe peut expliquer cette croyance en l'existence d'un « terroir » — c'est toute une vie enfuie, agrégat de saveurs, d'odeurs, de senteurs éparses qui se sédimente dans les rites ancestraux, dans les mets locaux, creusets d'une mémoire illusoire qui veut faire de l'or avec du sable, de l'éternité avec le temps. Il n'y a pas de grande cuisine, tout au contraire, sans évolution, sans érosion ni oubli. C'est d'être sans cesse remise sur l'établi de l'élaboration, où passé et avenir, ici et ailleurs, cru et cuit, salé et sucré se mélangent, que la cuisine est devenue art et qu'elle peut continuer a vivre de n'être pas figée dans l'obsession de ceux qui ne veulent pas mourir.

C'est peu dire, donc, qu'entre cassoulets et potées aux choux, j'arrivais vierge de tout contact — mais pas de tout préjugé — avec la cuisine japonaise au bar du Oshiri, où œuvrait une batterie de cuisiniers qui dissimulaient presque derrière eux, au fond à droite, un petit homme tassé sur une chaise. Dans le restaurant exempt de toute décoration, à la salle spartiate et aux chaises sommaires, régnait un joyeux brouhaha, celui des lieux où les convives sont satisfaits de la table et du service. Rien d'étonnant. Rien de particulier. Pourquoi le fit-il ? Savait-il qui j'étais, le nom que je commençais à me faire dans le petit landernau de la gastronomie était-il parvenu jusqu'à ses oreilles de vieil homme blasé ? Était-ce pour lui ? Était-ce pour moi ? Qu'est-ce qui fait qu'un homme mûr, revenu de toutes ses émotions, réveille tout de même en lui la flamme qui vacille et, pour une ultime parade, brûle sa force vive ? Ce qui se joue dans le face-à-face de celui qui abdique et de celui qui conquiert, est-ce filiation, est-ce renoncement ? Abîmes du mystère — pas une fois il n'a posé les yeux sur moi, sauf à la fin : des yeux vides, dévastés, qui ne signifiaient rien.

Quand il s'était levé de son siège minable, un silence de marbre avait fondu de proche en proche sur le restaurant. D'abord sur les cuisiniers, pétrifiés de stupeur, et ensuite, comme si une onde invisible se propageait rapidement dans l'assistance, sur les clients du bar, puis de la salle, jusqu'à ceux qui venaient d'entrer et qui, interdits, contemplaient la scène. Il s'était levé sans dire un mot et dirigé vers le plan de travail, face à moi. Celui dont j'avais supposé précédemment qu'il dirigeait l'équipe s'inclina brièvement, avec ce geste empreint d'une absolue déférence si caractéristique des cultures asiatiques, et recula lentement, avec tous les autres, vers la béance des cuisines, sans y pénétrer toutefois, restant là, immobile, religieux. Le chef Tsuno élabora sa composition devant moi avec des gestes doux et parcimonieux, d'une économie qui courtisait l'indigence, mais je voyais sous sa paume naître et s'épanouir, dans la nacre et la moire, des éclats de chair rose, blanche et grise et, fasciné, j'assistais au prodige.

Ce fut un éblouissement. Ce qui franchit ainsi la barrière de mes dents, ce n'était ni matière ni eau, seulement une substance intermédiaire qui de l'une avait gardé la présence, la consistance qui résiste au néant et à l'autre avait emprunté la fluidité et la tendresse miraculeuses. Le vrai sashimi ne se croque pas plus qu'il ne fond sur la langue. Il invite à une mastication lente et souple, qui n'a pas pour fin de faire changer l'aliment de nature mais seulement d'en savourer l'aérienne moellesse. Oui, la moellesse : ni mollesse ni moelleux ; le sashimi, poussière de velours aux confins de la soie, emporte un peu des deux et, dans l'alchimie extraordinaire de son essence vaporeuse, conserve une densité laiteuse que les nuages n'ont pas. La première bouchée rose qui avait provoqué en moi un tel émoi, c'était du saumon, mais il me fallut encore faire la rencontre du carrelet, de la noix de coquille Saint-Jacques et du poulpe. Le saumon est gras et sucré en dépit de sa maigreur essentielle, le poulpe est strict et rigoureux, tenace en ses liaisons secrètes qui ne se déchirent sous la dent qu'après une longue résistance. Je regardais avant de le happer le curieux morceau dentelé, marbré de rose et de mauve mais presque noir à la pointe de ses excroissances crénelées, je le saisissais maladroitement de mes baguettes qui s'aguerrissaient à peine, je le recevais sur la langue saisie d'une telle compacité et je frémissais de plaisir. Entre les deux, entre le saumon et le poulpe, toute la palette des sensations de bouche mais toujours cette fluidité compacte qui met le ciel sur la langue et rend inutile toute liqueur supplémentaire, fût-elle eau, Kirin ou saké chaud. La noix de Saint-Jacques, quant à elle, s'éclipse dès son arrivée tant elle est légère et évanescente, mais longtemps après, les joues se souviennent de son effleurement profond ; le carrelet enfin, qui apparaît à tort comme le plus rustique de tous, est une délicatesse citronnée dont la constitution d'exception s'affirme sous la dent avec une plénitude stupéfiante.

C'est cela, le sashimi — un fragment cosmique à portée du cœur, hélas bien loin de cette fragrance ou de ce goût qui fuient ma sagacité, si ce n'est mon inhumanité... J'ai cru que l'évocation de cette aventure subtile, celle d'un cru à mille lieues de la barbarie des dévoreurs d'animaux, exhalerait le parfum d'authenticité qui inspire mon souvenir, ce souvenir inconnu que je désespère de saisir... Crustacé, encore, toujours : peut-être n'est-ce pas le bon ?

(Chabrot)

Rue de Bourgogne, cabinet médical

Trois voies possibles.

Une voie asymptotique : un salaire de misère, une blouse verte, de longues gardes d'interne, une carrière probable, la voie du pouvoir, la voie des honneurs. Monsieur le Professeur en Cardiologie. L'hôpital public, le dévouement à la cause, l'amour de la science : juste ce qu'il faut d'ambition, de jugeote et de compétence. J'étais mûr pour cela.

Une voie médiane : le quotidien. Beaucoup, beaucoup d'argent. Une clientèle huppée, noire de bourgeoises dépressives, de vieux riches dispendieux, de toxicomanes dorés, d'angines, de grippes, d'ennui long et insondable. Le Montblanc que m'offre ma femme chaque 25 décembre glisse sur la blancheur de l'ordonnance. Je lève la tête, me fends d'un sourire au bon moment, un peu de réconfort, un peu de civilité, beaucoup de fausse humanité et je monnaye à Mme Derville, la femme du bâtonnier, l'absolution de ses angoisses d'hystérique incurable.

Une voie tangente : traiter les âmes et non les corps. Journaliste, écrivain, peintre, éminence grise, mandarin des lettres, archéologue ? N'importe quoi, sauf les panneaux lambrissés de mon cabinet de docteur mondain, sauf l'anonymat célèbre et cossu de ma charge curative, dans ma rue de nanti, dans mon fauteuil de ministre....

Naturellement · la voie médiane. Et des siècles s'étirant en longueur d'insatisfaction lancinante, de bouillonnement intérieur, parfois rongeant, parfois virulent, parfois recouvert — mais toujours présent.

La première fois qu'il me consulta, j'entrevis mon salut. Ce que je ne pouvais pas être, trop corrompu par mon sang de bourgeois pour y renoncer, il m'en faisait cadeau, par son seul consentement tacite d'être mon client, par sa simple fréquentation régulière de ma salle d'attente, par sa docilité banale de patient sans histoires. Plus tard il me fit un autre présent, avec magnanimité : celui de sa conversation , des mondes jusqu'alors insoupçonnés surgissaient et ce que ma flamme, depuis toujours, convoitait si ardemment et désespérait de jamais conquérir, je le vivais grâce à lui, par procuration.

Vivre par procuration : faire naître des chefs,

en être le fossoyeur, de la ripaille extraire des mots, des phrases, des symphonies de langage, et accoucher les repas de leur beauté fulgurante ; être un Maître, être un Guide, être une Divinité ; toucher de l'esprit des sphères inaccessibles, pénétrer, en tapinois, dans les labyrinthes de l'inspiration, frôler la perfection, effleurer le Génie ! Que faut-il préférer, vraiment ? Vivre sa pauvre petite vie d'homo sapiens bien conforme, sans but, sans sel, parce qu'on est trop faible pour se tenir à l'objectif ? Ou bien, presque par effraction, jouir à l'infini des extases d'un autre qui connaît sa quête, qui a déjà entamé sa croisade et qui, d'avoir ainsi une fin ultime, côtoie l'immortalité ?

Plus tard encore, d'autres largesses : son amitié. Et à accepter le regard qu'il portait sur moi, dans l'intimité de nos propos d'homme à homme où je devenais, dans le feu de ma passion pour l'Art, le témoin, le disciple, le protecteur et l'admirateur à la fois, j'ai reçu au centuple les fruits de ma subordination consentie. Son amitié ! Qui n'a rêvé de l'amitié d'un Grand du siècle, qui n'a souhaité tutoyer le Héros, donner l'accolade au fils prodigue, au grand Maître des orgies culinaires ? Son ami ! Son ami et son confident, jusqu'au privilège, ô combien précieux et douloureux à la fois, de lui annoncer sa propre mort... Demain ? À l'aube ? Ou cette nuit ? Cette nuit... Ma nuit aussi, parce que le témoin se meurt de ne plus pouvoir témoigner, parce que le disciple se meurt du tourment de la perte, parce que le protecteur se meurt d'avoir défailli et que l'admirateur, enfin, se meurt d'adorer un cadavre voué à la paix des cimetières... Ma nuit..

Mais je ne regrette rien, mais je revendique tout, parce que c'était lui, et parce que c'était moi.

Le miroir

Rue de Grenelle, la chambre

Il s'appelait Jacques Destrères. C'était tout au début de ma carrière. Je venais de finir un article sur la spécialité de la maison Gerson, celui-là même qui allait révolutionner les cadres de ma profession et me propulser au firmament de la critique gastronomique. Dans l'attente excitée mais confiante de ce qui allait suivre, je m'étais réfugié chez mon oncle, le frère aîné de mon père, un vieux garçon qui savait vivre et passait auprès de la famille pour un original. Il ne s'était jamais marié, on n'avait même jamais entrevu de femme à ses côtés, à tel point que mon père le soupçonnait d'être « de la jaquette ». Il avait réussi dans les affaires puis, à l'âge mûr, s'était retiré dans une ravissante petite propriété à proximité de la forêt de Rambouillet où il passait des journées paisibles à tailler ses rosiers, promener ses chiens, fumer le cigare en compagnie de quelques vieilles relations d'affaires et se concocter des petits plats de célibataire.

Assis dans sa cuisine, je le regardais faire. C'était l'hiver. J'avais déjeuné très tôt chez Groers, à Versailles, et sillonné ensuite les petites routes enneigées dans une disposition d'esprit plus que favorable. Un bon feu crépitait dans l'âtre et mon oncle préparait le repas. La cuisine de ma grand-mère m'avait accoutumé à une atmosphère bruyante et enfiévrée où, dans le tintamarre des casseroles, le chuintement du beurre et le clac-clac des couteaux se démenait une virago en transe à laquelle seule sa longue expérience conférait une aura de sérénité — de celle que conservent les martyrs dans les flammes de l'enfer. Jacques, lui, accomplissait toutes choses avec mesure. Il ne se pressait pas, mais point de lenteur non plus. Chaque geste venait en son temps.

Il rinça soigneusement le riz thaïlandais dans une petite passoire argentée, l'égoutta, le versa dans la casserole, le recouvrit d'un volume et demi d'eau salée, couvrit, laissa cuire. Les crevettes gisaient dans un bol de faïence. Tout en conversant avec moi, essentiellement de mon article et de mes projets, il les décortiqua avec une méticulosité concentrée. Pas un instant il n'accéléra la cadence, pas un instant il ne la ralentit. La dernière petite arabesque dépouillée de sa gangue protectrice, il se lava consciencieusement les mains, avec un savon qui sentait le lait. Avec la même uniformité sereine, il plaça une sauteuse en fonte sur le feu, y versa un filet d'huile d'olive, l'y laissa chauffer, y jeta en pluie les crevettes dénudées. Adroitement, la spatule en bois les circonvenait, ne laissant aux menus croissants aucune échappatoire, les saisissant de tous côtés, les faisant valser sur le gril odorant. Puis du curry. Ni trop ni trop peu. Une poussière sensuelle embellissant de son or exotique le cuivre rosé des crustacés : l'Orient réinventé. Sel, poivre. Il égrena aux ciseaux une branche de coriandre au-dessus de la poêlée. Enfin, rapidement, un bouchon de cognac, une allumette , du récipient jaillit une longue flamme hargneuse, comme un appel ou un cri qu'on libère enfin, soupir déchaîné qui s'éteint aussi vite qu'il s'est élevé.

Sur la table de marbre patientaient une assiette de porcelaine, un verre de cristal, une argenterie superbe et une serviette de lin brodé. Dans l'assiette, il disposa soigneusement, à la cuillère en bois, la moitié des crevettes, le riz auparavant tassé dans un minuscule bol et retourné en une petite coupole joufflue surmontée d'une feuille de menthe. Dans le verre, il se versa généreusement d'un liquide de blé transparent.

« Je te sers un verre de sancerre ? »

Je fis non de la tête. Il s'attabla.

Un repas sur le pouce. C'était ce que Jacques Destrères appelait un repas sur le pouce. Et je savais qu'il ne plaisantait pas, que chaque jour il se mitonnait ainsi une petite bouchée de paradis, ignorant du raffinement de son ordinaire, vrai gourmet, réel esthète dans l'absence de mise en scène qui caractérisait son quotidien. Je le regardais manger, sans toucher moi-même au mets qu'il avait préparé sous mes yeux, manger avec le même soin détaché et subtil qu'il avait mis à cuisiner et ce repas que je ne goûtai pas demeura l'un des meilleurs de ma vie.

Déguster est un acte de plaisir, écrire ce plaisir est un fait artistique mais la seule vraie œuvre d'art, en définitive, c'est le festin de l'autre. Le repas de Jacques Destrères en revêtait la perfection parce que ce n'était pas le mien, parce qu'il ne débordait pas dans l'avant et l'après de mon quotidien et, unité close et autosuffisante, pouvait rester dans ma mémoire, moment unique gravé hors du temps et de l'espace, perle de mon esprit libérée des sentiments de ma vie. Comme on contemple une pièce qui se reflète dans un miroir sorcière, et qui devient un tableau de n'être plus ouverte sur autre chose mais de suggérer tout un monde sans ailleurs, inscrit strictement entre les bords de la glace et isolé de la vie alentour, le repas de l'autre est enfermé dans le cadre de notre contemplation et exempté de la ligne de fuite infinie de nos souvenirs ou de nos projets. J'aurais aimé vivre cette vie-là, celle que le miroir ou l'assiette de Jacques me suggéraient, une vie sans perspectives par où s'évanouisse la possibilité qu'elle devienne une œuvre d'art, une vie sans autrefois ni demain, sans alentours ni horizon : ici et maintenant, c'est beau, c'est plein, c'est clos.

Et ce n'est pas cela. Ce que les grandes tables ont apporté à mon génie nourricier, ce que les crevettes de Destrères ont suggéré à mon intelligence n'apprend rien à mon cœur. Spleen. Soleil noir.

Le soleil…

(Gégène)

Angle de la rue de Grenelle et de la rue du Bac

Toi et moi, on est faits de la même étoffe.

Il y a deux catégories de passants. D'abord la plus courante, bien qu'elle comporte des nuances. Ceux-là, je ne croise jamais leur regard, ou alors fugitivement, lorsqu'ils me donnent la pièce. Ils sourient faiblement parfois, mais toujours avec un peu de gêne, et s'esquivent vite fait bien fait. Ou alors ils ne s'arrêtent pas et passent le plus rapidement possible, avec leur mauvaise conscience qui les taraude sur cent mètres — cinquante avant, quand ils m'ont aperçu de loin et se sont empressés de se visser la tête de l'autre côté jusqu'à ce que, cinquante mètres après le déguenillé, elle retrouve sa mobilité coutumière —, puis ils m'oublient, ils respirent de nouveau librement et le pincement au cœur de pitié et de honte qu'ils ont ressenti s'estompe progressivement. Ceux-là, je sais ce qu'ils disent, le soir, en rentrant chez eux, pour peu qu'ils y pensent encore, quelque part dans un coin de leur inconscient : « C'est terrible, il y en a de plus en plus, ça me fend le cœur, je donne, bien sûr, mais au bout du deuxième je m'arrête, je sais, c'est arbitraire, c'est horrible, mais on ne peut pas donner sans cesse, quand je pense aux impôts qu'on paye, ça ne devrait pas être à nous de donner, c'est l'État qui est défaillant, c'est l'État qui ne joue pas son rôle, encore heureux qu'on soit sous un gouvernement de gauche, sinon ce serait pire, bon, on mange quoi ce soir, des pâtes ? »

Ceux-là, je leur pisse à la raie. Et encore, je suis poli. Je les emmerde, ces bourgeois qui jouent aux socialos, qui veulent le beurre et l'argent du beurre, l'abonnement au Châtelet et les pauvres sauvés de la misère, le thé chez Mariage et l'égalité des hommes sur terre, leurs vacances en Toscane et les trottoirs vidés des aiguillons de leur culpabilité, payer la femme de ménage au noir et qu'on écoute leurs tirades de défenseurs altruistes. L'État, l'État ! C'est le peuple illettré qui adore le roi et n'accuse que les mauvais ministres corrompus de tous les maux dont il souffre ; c'est le Parrain qui dit à ses sbires . « Cet homme a mauvaise mine », et ne veut pas savoir que ce qu'il vient d'ordonner ainsi à demi-mot, c'est son exécution ; c'est le fils ou la fille brimés injuriant l'assistante sociale qui demande des comptes aux parents indignes ! L'État ! Comme l'État a bon dos lors qu'il s'agit d'accuser un autre qui n'est autre que soi !

Et puis il y a l'autre catégorie. Celle des brutes, des vrais salauds, ceux qui ne pressent pas le pas, qui ne détournent pas le regard, qui me fixent de leur œil froid et sans commisération, tant pis pour toi, mon vieux, clamse si tu n'as pas su te battre, pas d'indulgence pour la racaille, pour la plèbe qui végète dans ses cartons de sous-hommes, pas de quartier, on gagne ou on perd, et si tu crois que j'ai honte de mon fric, tu te trompes.

Pendant dix ans, un matin après l'autre, en sortant de son palace, il a aligné devant moi son pas de riche satisfait, a soutenu ma prière d'un œil de mépris tranquille.

Si j'étais lui, je ferais pareil. Faut pas croire que tous les clochards sont socialos et que la pauvreté, ça rend révolutionnaire. Et puisqu'il paraît qu'il va crever, alors je lui dis : « Crève, mon gars, crève de tout l'argent que tu ne m'as pas donné, crève de tes soupes de richard, crève de ta vie de puissant, mais ce n'est pas moi qui m'en réjouirai. Toi et moi, on est faits de la même étoffe. »

Le pain

Rue de Grenelle, la chambre

Haletants, il nous fallait quitter la plage. Le temps, déjà, m'avait paru délicieusement court et long à la fois. La côte, à cet endroit, long arc sableux s'étirant paresseusement mais dévoré de vagues, permettait les bains de mer les plus intrépides, danger en moins et plaisir en plus. Depuis le matin, avec mes cousins, nous plongions inlassablement sous les rouleaux ou nous envolions sur leur crête, hors d'haleine, saoulés de ces roulades sans fin, ne retournant au point de ralliement de tous, le parasol familial, que pour engouffrer un beignet ou une grappe de raisin avant de repartir à bride abattue vers l'océan. Parfois, cependant, je me laissais choir à même le sable chaud et crissant, instantanément figé en un bien-être stupide, tout juste conscient de l'engourdissement de mon corps et des bruits si particuliers de la plage, entre cris des mouettes et rires d'enfants — une parenthèse d'intimité, dans cette stupeur si singulière du bonheur. Mais le plus souvent, voguant au gré de l'eau, j'apparaissais et je disparaissais sous sa masse liquide et mouvante. Exaltation de l'enfance : combien d'années passons-nous à oublier cette passion que nous insufflions à toute activité qui nous promettait du plaisir ? De quel engagement total ne sommes-nous plus capables, de quelle liesse, de quelles envolées de lyrisme charmant ? Il y avait dans ces journées de bains tant d'exultation, tant de simplicité... si vite remplacées, hélas, par la difficulté toujours plus grande d'avoir du plaisir...

Vers treize heures, nous levions le camp. Le retour vers Rabat, à une dizaine de kilomètres, dans la fournaise des voitures, me laissait le loisir d'admirer le front de mer. Je ne m'en lassais pas. Plus tard, jeune homme et privé de ces étés marocains, il m'arrivait d'évoquer en pensée les moindres détails de la route qui mène de la plage des Sables d'Or à la ville et, en celle-ci, je repassais rues et jardins avec une minutieuse euphorie. C'était une belle route qui, en maints endroits, dominait l'Atlantique ; des villas anéanties de lauriers-roses laissaient entrevoir parfois, dans la fausse transparence d'une grille ouvragée, une vie ensoleillée qui se mouvait là ; la forteresse ocre, plus loin, surplombant des flots d'émeraude et dont je n'ai appris que bien plus tard que c'était une fort sinistre prison ;

puis la petite plage de Temara, enclavée, protégée du vent et des remous et que je toisais avec le dédain de ceux qui n'aiment dans la mer que ses reliefs et ses tumultes ; la plage suivante, trop dangereuse pour que l'on puisse s'y baigner, parsemée de quelques pêcheurs téméraires aux jambes brunes léchées par les vagues et que l'océan semblait vouloir avaler dans un vacarme rageur ; puis les abords de la ville, avec le souk bondé de moutons et de toiles de tente claires claquant au vent, les faubourgs grouillant de monde, joyeusement bruyants, pauvres mais salubres dans l'air iodé. J'avais du sable collé aux chevilles, les joues en feu, je me ramollissais dans la chaleur de l'habitacle et me laissais bercer par la tonalité si chantante et agressive à la fois de l'arabe, au gré de bribes incompréhensibles dérobées par la fenêtre ouverte. Doux calvaire, le plus doux de tous : quiconque a passé des étés au bord de la mer connaît cela, cette exaspérante nécessité de *rentrer*, de quitter l'eau pour la terre, de supporter le désagrément de redevenir lourd et suant — connaît cela, l'a exécré et s'en souvient, en d'autres temps, comme d'un moment béni. Rituels de vacances, sensations immuables : un goût de sel au coin des lèvres, les doigts fripés, la peau chaude et sèche, les cheveux collés qui gouttent encore un peu dans le cou, la respiration courte, que c'était bon, que c'était facile…

Arrivés à la maison, nous nous ruions sous la douche, dont nous sortions reluisants, l'épiderme souple et la mèche docile, et l'après-midi commençait par un repas.

Nous l'avions achetée à une petite échoppe devant les remparts, soigneusement emballée dans du papier journal, avant de remonter en voiture. Je la regardais du coin de l'œil, encore trop hébété pour jouir de sa présence mais rassuré de la savoir là, pour « après », pour « midi ». Étrange... Que le souvenir le plus viscéral de pain qui surgisse en ce jour de trépas soit celui de la *kesra* marocaine, cette jolie boule aplatie, plus proche en sa consistance du gâteau que de la baguette, ne laisse pas de me questionner. Quoi qu'il en soit : rincé et habillé, dans la béatitude d'entamer un après-plage de promenades dans la médina, je m'asseyais autour de la table, j'arrachais du morceau conséquent que me tendait ma mère une première bouchée conquérante et dans la tiédeur meuble et douce de l'aliment, je retrouvais la consistance du sable, sa couleur et son accueillante présence. Le pain, la plage : deux chaleurs connexes, deux attirances complices ; c'est à chaque fois tout un monde de bonheurs rustiques qui envahit notre perception. On a tort de prétendre que ce qui fait la noblesse du pain, c'est qu'il se suffit à lui-même en même temps qu'il accompagne tous les autres mets. Si le pain se « suffit à lui-même », c'est parce qu'il est multiple, non pas en ses sortes particulières mais en son essence même car le pain est riche, le pain est plusieurs, le pain est microcosme. En lui s'incorpore une assourdissante diversité, comme un univers en miniature, qui dévoile ses ramifications tout au long de la dégustation. L'attaque, qui se heurte d'emblée aux murailles de la croûte, s'ébahit, sitôt ce barrage surmonté, du consentement que lui donne la mie fraîche. Il y a un tel fossé entre l'écorce craquelée, parfois dure comme de la pierre, parfois juste parure qui cède très vite à l'offensive, et la tendresse de la substance interne qui se love dans les joues avec une docilité câline, que c'en est presque déconcertant. Les fissures de l'enveloppe sont autant d'infiltrations champêtres : on dirait un labour, on se prend à songer au paysan dans l'air du soir ; au clocher du village, sept heures viennent de sonner ; il essuie son front au revers de sa veste ; fin du labeur.

À l'intersection de la croûte et de la mie, en revanche, c'est un moulin qui prend forme sous notre regard intérieur ; la poussière de blé vole autour de la meule, l'air est infesté de poudre volatile ; et de nouveau changement de tableau, parce que le palais vient d'épouser la mousse alvéolée libérée de son carcan et que le travail des mâchoires peut commencer. C'est bien du pain et pourtant ça se mange comme du gâteau ; mais à la différence de la pâtisserie, ou même de la viennoiserie, mâcher le pain aboutit à un résultat surprenant, à un résultat... gluant. Il faut que la boule de mie mâchée et remâchée finisse par s'agglomérer en une masse gluante et sans espace par où l'air puisse s'infiltrer ; le pain glue, oui, parfaitement, il glue. Qui n'a jamais osé malaxer longuement de ses dents, de sa langue, de son palais et de ses joues le cœur du pain n'a jamais tressailli de ressentir en lui l'ardeur jubilatoire du visqueux. Ce n'est plus ni pain, ni mie, ni gâteau que nous mastiquons alors, c'est un semblant de nous-mêmes, de ce que doit être le goût de nos tissus intimes, que nous pétrissons ainsi de nos bouches expérimentées où la salive et la levure se mêlent en une fraternité ambiguë.

Autour de la table, nous ruminions tous consciencieusement et en silence. Il est tout de même de bien curieuses communions... Loin des rites et des fastes des messes instituées, en deçà de l'acte religieux de rompre le pain et d'en rendre grâce au Ciel, nous nous unissions pourtant en une communion sacrée qui nous faisait atteindre, sans que nous le sachions, une vérité supérieure, décisive entre toutes. Et si quelques-uns parmi nous, vaguement conscients de cette oraison mystique, l'attribuaient futilement au plaisir d'être ensemble, de partager une gourmandise consacrée, dans la convivialité et la relaxation des vacances, je savais qu'ils ne se trompaient que faute de mots et de lumières pour dire et éclairer une telle élévation. Province, campagne, douceur de vivre et élasticité organique : il y a tout cela dans le pain, dans celui d'ici comme dans celui d'ailleurs. C'est ce qui en fait, sans l'ombre d'un doute, l'instrument privilégié par où nous dérivons en nous-mêmes à la recherche de nous-mêmes.

Après ce premier contact apéritif, j'affrontais la suite des hostilités. Salades fraîches — on ne se doute pas de ce que carottes et pommes de terre coupées en petits dés réguliers et juste assaisonnées de coriandre gagnent en saveur sur leurs semblables grossièrement débitées —, tajines pléthoriques : je me pourléchais les babines et bâfrais comme un ange, sans remords ni regrets. Mais ma bouche n'oubliait pas, ma bouche se souvenait que ce repas de fête, elle l'avait inauguré dans les ébats de ses mandibules avec la blancheur d'une miche tendre et même si, pour lui prouver ma gratitude, je la précipitais ensuite au fond de mon assiette encore emplie de sauce, je savais bien que le cœur n'y était plus. Avec le pain, comme avec toute chose, c'est la première fois qui compte.

Je me rappelle la luxuriance fleurie du salon de thé des Oudaïa d'où nous contemplions Salé et la mer, au loin, en aval du fleuve qui coulait sous les remparts ; les ruelles bariolées de la médina ; le jasmin en cataractes aux murs des courettes, richesse du pauvre à mille lieues du luxe des parfumeurs d'Occident ; la vie sous le soleil, enfin, qui n'est pas la même qu'ailleurs parce que à vivre dehors, on conçoit l'espace différemment... et le pain en galette, aubade fulgurante aux unions de la chair. Je sens, je sens bien que je brûle. Il y a quelque chose de cela dans ce que je cherche. Quelque chose mais ce n'est pas encore tout à fait cela... pain... pain... Mais quoi d'autre ? De quoi d'autre que de pain vivent les hommes sur la terre ?

(Lotte)

Rue Delbet

Toujours, je lui disais : je ne veux pas y aller, j'aime bien Granny mais je n'aime pas Granpy, il me fait peur, il a des gros yeux tout noirs, et puis il n'est pas content de nous voir, pas content du tout. C'est pour ça que c'est bizarre aujourd'hui. Parce que pour une fois, je veux bien y aller, je voudrais voir Granny, et puis Rick, et c'est maman qui ne veut pas, elle dit que Granpy est malade et qu'on va le déranger. Granpy malade ? Ce n'est pas possible. Jean est malade, oui, il est très malade mais ça ne fait rien, j'aime bien être avec lui, j'aime bien l'été quand on va aux galets ensemble, il prend un galet et puis il le regarde et puis il invente une histoire, si c'est un gros rond, c'est un monsieur qui a trop mangé, alors maintenant il ne peut plus marcher, il roule, il roule, ou bien si c'est un petit plat, on lui a marché dessus et zou, comme une crêpe, et plein d'autres histoires comme ça.

Granpy, lui, ne m'a jamais raconté d'histoires, jamais, il n'aime pas les histoires, et il n'aime pas les enfants, et il n'aime pas le bruit, je me souviens un jour, à Rudgrenèle, je jouais gentiment avec Rick et puis avec Anaïs, la fille de la sœur de Paul, on riait bien, et il s'est tourné vers nous, il m'a lancé un regard méchant, *vraiment* méchant, j'ai eu envie de pleurer et de me cacher, je n'avais plus envie de rire du tout, et il a dit à Granny mais sans la regarder : « Qu'on les fasse taire. » Alors Granny a pris son air triste, elle n'a rien répondu, elle est venue nous parler, elle nous a dit : « Venez, les enfants, on va aller jouer au square, Granpy est fatigué. » Quand on est revenues du square, Granpy était parti, on ne l'a plus revu, on a dîné avec Granny et puis maman, et puis Adèle, la sœur de Paul, et on s'est de nouveau bien amusées mais je voyais bien que Granny était triste.

Quand je pose des questions à maman, elle me répond toujours que non, que tout va bien, que ce sont des histoires de grandes personnes, que je n'ai pas à me soucier de tout ça et qu'elle m'aime très très fort. Ça, je le sais. Mais je sais aussi beaucoup d'autres choses. Je sais que Granpy n'aime plus Granny, que Granny ne s'aime plus elle-même, que Granny aime Jean plus que maman ou Laura mais que Jean déteste Granpy et que Granpy est dégoûté par

Jean. Je sais que Granpy pense que papa est un imbécile. Je sais que papa en veut à maman, parce qu'elle est la fille de Granpy, mais aussi parce qu'elle m'a voulue, moi, et qu'il ne voulait pas d'enfants, ou du moins pas encore ; je sais aussi que papa m'aime très fort et peut-être même qu'il en veut à maman de m'aimer si fort alors qu'il ne voulait pas de moi, et je sais que maman m'en veut un peu des fois de m'avoir voulue alors que papa ne voulait pas. Eh oui, je sais tout ça. Je sais qu'ils sont tous malheureux parce que personne n'aime la bonne personne comme il faudrait et qu'ils ne comprennent pas que c'est surtout à eux-mêmes qu'ils en veulent

On croit que les enfants ne savent rien. C'est à se demander si les grandes personnes ont été des enfants, un jour.

La ferme

Rue de Grenelle, la chambre

J'avais fini par échouer dans cette ferme pimpante de la Côte de Nacre après deux heures d'efforts infructueux pour dénicher une auberge gastronomique nouvellement ouverte qu'on m'avait indiquée aux alentours de Colleville et du cimetière américain. J'ai toujours aimé cette partie de la Normandie. Pas pour son cidre, ni pour ses pommes, sa crème et ses poulets flambés au calvados, mais pour ses plages démesurées, à la grève largement découverte par la basse mer et où j'ai réellement compris ce que veut dire l'expression « entre ciel et terre ». Je me promenais longuement sur Omaha Beach, un peu étourdi de solitude et d'espace, j'observais les mouettes et les chiens qui vaguaient sur le sable, je plaçais la main en visière devant mes yeux pour scruter un horizon qui ne m'apprenait rien et je me sentais heureux et confiant, revigoré par cette escapade silencieuse.

Ce matin-là, un beau matin d'été, clair et

frais, j'avais erré dans une mauvaise humeur croissante à la recherche de mon auberge, me perdant dans d'invraisemblables chemins creux et ne recueillant sur mon passage que des indications contradictoires. Je finis par m'engager sur une petite route qui se terminait en cul-de-sac dans la cour d'une ferme en pierre du pays, au porche surmonté d'une imposante glycine, aux fenêtres vampirisées de géraniums rouges et aux volets fraîchement repeints en blanc. À l'ombre d'un tilleul, devant la maison, une table était dressée et cinq personnes (quatre hommes et une femme) y finissaient de déjeuner. Ils ne connaissaient pas l'adresse que je cherchais. Lorsque je m'enquis, faute de mieux, d'un endroit pas trop éloigné où je pourrais me restaurer, ils reniflèrent avec une pointe de mépris. « Vaut mieux manger chez soi », dit un des hommes avec un air lourd de sous-entendus. Celui dont je supposais que c'était le maître des lieux posa sa main sur le toit de la voiture, se pencha vers moi et me proposa sans plus de façons de partager leur ordinaire J'acceptai.

Assis sous le tilleul qui embaumait au point que je n'en avais presque plus faim, je les écoutais deviser devant leurs cafés au calva tandis que la cultivatrice, une jeune femme dodue avec une fossette accorte de chaque côté des commissures, me servait en souriant.

Quatre huîtres claires, froides, salées, sans citron ni aromates. Lentement avalées, bénies pour la glace altière dont elles recouvraient mon palais. « Ah, il ne reste plus que celles-là, il y en avait une grosse, douze douzaines, mais les hommes, quand ça rentre de l'ouvrage, ça mange bien. » Elle rit doucement.

Quatre huîtres sans fioritures. Prélude total et sans concession, royal en sa fruste modestie. Un verre de vin blanc sec, glacé, fruité avec raffinement — « un saché, on a un cousin en Touraine qui nous le fait pour pas cher ! ».

Une mise en bouche. Les gars à côté causaient voitures avec une faconde inouïe. Celles qui avancent. Celles qui n'avancent pas. Celles qui renâclent, qui regimbent, qui rechignent, qui crachotent, qui s'essoufflent, qui peinent dans les côtes, qui dérapent dans les virages, qui broutent, qui fument, qui hoquettent, qui toussent, qui se cabrent, qui se rebiffent. Le souvenir d'une Simca 1100 particulièrement rétive s'arroge le privilège d'une longue tirade. Une vraie saloperie, qui avait froid au cul même en plein été. Ils hochent tous la tête avec indignation.

Deux fines tranches de jambon cru et fumé, soyeuses et mouvantes dans leurs replis alanguis, du beurre salé un fragment de miche.

Une overdose de moelleux vigoureux : improbable mais délectable. Un autre verre du même blanc, qui ne me quittera plus. Prologue excitant, charmeur, allumeur.

« Oui, la forêt en est pleine », répond-on à ma question polie sur le gibier dans la région. « D'ailleurs, dit Serge (il y a aussi Claude et Christian, le maître de céans, mais je ne parviens pas à attribuer un prénom au dernier), ça provoque souvent des accidents. »

Quelques asperges vertes, grosses, tendres à s'en pâmer. « C'est pour vous faire attendre pendant que ça réchauffe, dit précipitamment la jeune femme, croyant sans doute que je m'étonne d'un plat de résistance aussi chiche. — Non, non, lui dis-je, c'est magnifique. » Tonalité exquise, champêtre, presque bucolique. Elle rougit et s'éclipse en riant.

Autour de moi, ça continue de plus belle sur le gibier qui traverse inopinément les routes de la forêt. Il y est question d'un certain Germain qui, renversant une nuit sans lune un sanglier aventureux, le croit mort dans l'obscurité, le jette dans son coffre (« Pensez, une occasion pareille ! »), reprend la route tandis que la bête se réveille lentement et commence à ruer dans le coffre (« à locher dans la malle... ») puis, à force de coups de groin, cabosse la voiture et s'évapore dans la nature. Ils rigolent comme des gosses.

Des « restes » (il y a de quoi nourrir un régiment) de poularde. Pléthore de crème, de lardons, une pointe de poivre noir, des pommes de terre dont je devine qu'elles viennent de Noirmoutier — et pas une once de gras.

La conversation a dévié de sa route première, elle s'est engagée dans les méandres sinueux des alcools locaux. Les bons, les moins bons, les franchement imbuvables ; les gouttes illicites, les cidres trop fermentés, aux pommes pourries, mal lavées, mal pilées, mal ramassées, les calvados de supermarché qui ressemblent à du sirop et puis aussi les vrais calvas, qui arrachent la bouche mais parfument le palais. La goutte d'un fameux Père Joseph déclenche les plus beaux éclats de rire : du désinfectant, c'est sûr, mais pas du digestif !

« Je suis embêtée, me dit la jeune femme qui ne parle pas avec le même accent que son mari, il n'y a plus de fromage, je dois aller en courses cet après-midi. »

J'apprends que le chien du Thierry Coulard, une brave bête connue pour sa sobriété, s'est un jour oubliée à laper une petite flaque en dessous du tonneau et, de saisissement ou d'empoisonnement, en est tombée raide comme un balai et ne s'est sortie des griffes de la mort que grâce à une constitution hors du commun. Ils se tiennent les côtes de rire, j'ai du mal à reprendre mon souffle.

Une tarte aux pommes, pâte fine, brisée, craquante, fruits dorés, insolents sous le caramel discret des cristaux de sucre. Je finis la bouteille. À dix-sept heures, elle me sert le café avec le calva. Les hommes se lèvent, me tapent dans le dos en me disant qu'ils vont travailler et que si je suis là ce soir, ils seront contents de me voir. Je les embrasse comme des frères et promets de revenir un jour avec une bonne bouteille.

Devant l'arbre séculaire de la ferme de Colleville, sous la houlette des cochons qui lochent dans les malles pour le plus grand plaisir des hommes qui le content ensuite, j'ai connu l'un de mes plus beaux repas. La chère était simple et délicieuse mais ce que j'ai dévoré ainsi, jusqu'à reléguer huîtres, jambon, asperges et poularde au rang d'accessoires secondaires, c'est la truculence de leur parler, brutal en sa syntaxe débraillée mais chaleureux en son authenticité juvénile. Je me suis régalé des mots, oui, des mots jaillissant de leur réunion de frères campagnards, de ces mots qui, parfois, l'emportent en délectation sur les choses de la chair. Les mots : écrins qui recueillent une réalité esseulée et la métamorphosent en un moment d'anthologie, magiciens qui changent la face de la réalité en l'embellissant du droit de devenir mémorable, rangée dans la bibliothèque des souvenirs. Toute vie ne l'est que par l'osmose du mot et du fait où le premier enrobe le second de son habit de parade. Ainsi, les mots de mes amis de fortune, auréolant le repas d'une grâce inédite, avaient presque malgré moi constitué la substance de mon festin et ce que j'avais apprécié avec tant de gaieté, c'était le verbe et non la viande.

Je suis tiré de ma rêverie par un bruit assourdi, qui ne trompe pas mes oreilles. J'aperçois à travers mes paupières mi-closes Anna qui glisse furtivement dans le couloir. Cette faculté qu'a ma femme de se déplacer sans marcher, sans altérer sa progression de la brisure habituelle des pas, m'a toujours fait soupçonner que cette fluidité aristocratique n'a été créée que pour moi. Anna... Si tu savais dans quelle félicité me plonge la redécouverte de cet après-midi labile, entre eau-de-vie et forêt, à boire tête renversée l'éternité des mots ! Peut-être est-ce là le ressort de ma vocation, entre le dire et le manger... et la saveur, toujours, me fuit vertigineusement... Je suis entraîné par mes pensées vers ma vie provinciale... une grande maison... les promenades à travers champs... le chien dans mes jambes, joyeux et innocent...

(Vénus)

Rue de Grenelle, le bureau

Je suis une Vénus primitive, une petite déesse de la fécondité au corps d'albâtre nu, aux hanches larges et généreuses, au ventre proéminent et aux seins tombant jusqu'à mes cuisses rebondies, jointes l'une contre l'autre en une attitude de timidité un peu cocasse. Femme plutôt que gazelle : tout en moi invite à la chair et non à la contemplation. Et pourtant, il me regarde, il ne cesse de me regarder, dès qu'il lève les yeux de sa feuille, dès qu'il médite et que, sans me voir, il pose longuement son regard sombre sur moi. Parfois, en revanche, il me scrute pensivement, tente de percer mon âme de sculpture immobile, je sens bien qu'il est à un cheveu d'entrer en contact, de deviner, de dialoguer, et puis il renonce brusquement et j'ai le sentiment excédant d'avoir assisté au spectacle d'un homme qui se contemple dans une glace sans tain sans se douter que derrière, quelqu'un l'observe. D'autres fois, il m'effleure des doigts, il palpe mes replis de femme épanouie, il promène ses paumes sur mon visage sans traits et j'éprouve à la surface de mon ivoire son fluide de caractériel inapprivoisé. Lorsqu'il s'assied à son bureau, qu'il tire le cordon de la grande lampe de cuivre et qu'un rai de lumière chaude inonde mes épaules, je resurgis de nulle part, je renais chaque fois de cette lumière démiurgique, et tels sont pour lui les êtres de chair et de sang qui traversent sa vie, absents à sa mémoire quand il leur tourne le dos et, lorsqu'ils rentrent de nouveau dans le champ de sa perception, présents d'une présence qu'il ne comprend pas. Eux aussi, il les regarde sans les voir, il les appréhende dans le vide, comme un aveugle qui tâtonne devant lui et qui s'imagine saisir quelque chose alors qu'il ne brasse que de l'évanescent, qu'il n'embrasse que le néant. Ses yeux perspicaces, ses yeux intelligents sont séparés de ce qu'ils voient par un voile invisible qui entrave son jugement, qui rend opaque ce que, pourtant, il pourrait si bien illuminer de sa verve. Et ce voile, c'est sa raideur d'autocrate éperdu, dans la perpétuelle angoisse que l'autre, face à lui, se révèle autre chose qu'un objet qu'il peut à loisir écarter de sa vision, dans la perpétuelle angoisse que l'autre, en même temps, ne soit pas une liberté qui reconnaisse la sienne...

Lorsqu'il me cherche sans jamais me trouver,

lorsqu'il se résigne enfin à baisser les yeux ou à empoigner le cordon pour anéantir la certitude de mon existence, il fuit, il fuit, il fuit l'insoutenable. Son désir de l'autre, sa peur de l'autre.

Meurs, vieil homme. Il n'y ni paix ni place pour toi dans cette vie.

Le chien

Rue de Grenelle, la chambre

Aux premières heures de notre compagnonnage, je ne laissais pas d'être fasciné par l'indiscutable élégance avec laquelle il abaissait son arrière-train ; bien calé entre ses pattes arrière, la queue rasant le sol avec la régularité d'un métronome, son petit ventre glabre et rose plissant au-dessous du poitrail duveteux, il s'asseyait vigoureusement et levait vers moi ses yeux de noisette liquide dans lesquels, bien des fois, il m'a semblé voir autre chose que le simple appétit.

J'avais un chien. Ou plutôt une truffe sur pattes. Un petit réceptacle de projections anthropomorphiques. Un compagnon fidèle. Une queue battant la mesure au gré de ses émotions. Un kangourou surexcité aux bonnes heures de la journée. Un chien, donc. Lorsqu'il était arrivé à la maison, ses replis grassouillets auraient pu inciter à l'attendrissement bêtifiant ;

mais, en quelques semaines, la boule rondouillarde était devenue un petit chien élancé au museau bien dessiné, aux yeux limpides et lumineux, à la truffe entreprenante, au poitrail puissant et aux pattes bien musclées. C'était un dalmatien et je l'avais appelé Rhett, en hommage à *Autant en emporte le vent*, mon film fétiche, parce que si j'avais été une femme, c'eût été Scarlett — celle qui survit dans un monde qui agonise. Sa robe immaculée précautionneusement mouchetée de noir était incroyablement soyeuse ; par le fait, le dalmatien est un chien très soyeux, au toucher comme à la vue. Non pas onctueux cependant : il n'y a rien de complaisant ni de mièvre dans la sympathie immédiate qu'inspire sa physionomie, mais seulement une grande propension à la sincérité aimante. Quand, de surcroît, il penchait le museau de côté, les oreilles rabattues sur l'avant et tombant en gouttes fluides le long de ses babines pendantes, je ne regrettais pas d'avoir compris combien l'amour qu'on porte à une bête participe de la représentation qu'on a de soi tant, à ces moments-là, il était irrésistible. D'ailleurs, il n'y a guère de doute qu'au bout de quelques temps de cohabitation, l'homme et l'animal s'empruntent mutuellement leurs travers. Rhett, au demeurant passablement mal élevé, pour ne pas dire pas élevé du tout, était en effet affligé d'une pathologie qui n'avait rien de très étonnant. Qualifier de gloutonnerie ce qui était bien plutôt chez lui boulimie obsessionnelle reviendrait à être très nettement en dessous de la réalité. Qu'une feuille de salade tombât par terre, il se ruait sur elle en un piqué-plongé extrêmement impressionnant qui se terminait par une glissade appuyée des pattes antérieures, l'engloutissait sans même la mâcher, dans l'affolement d'être lésé et, j'en suis sûr, n'identifiait qu'après coup ce qu'il avait ainsi pêché. Sa devise était sans doute : on mange d'abord, on voit après, et j'en venais parfois à me dire que j'étais en possession du seul chien au monde à accorder plus de prix au désir de manger qu'à l'acte de le faire, tant la majeure part de son activité journalière consistait à être là où il pouvait *espérer* grappiller quelque mangeaille. Son ingéniosité n'allait cependant pas jusqu'à inventer des subterfuges pour s'en procurer ; mais il avait l'art de se placer stratégiquement à l'endroit exact où une saucisse oubliée pouvait être subtilisée sur le gril, où une chips écrabouillée, vestige d'un apéritif hâtif, échapperait à l'attention des maîtres de maison. Plus grave, cette incoercible passion de manger s'illustra fort bien (mais un peu dramatiquement) lors d'un Noël à Paris, chez mes grands-parents, où le repas, selon une coutume antédiluvienne, devait s'achever comme de juste par une bûche amoureusement confectionnée par ma grand-mère, un simple biscuit roulé bourré de crème au beurre, au café ou au chocolat — simple biscuit peut-être mais lesté de la magnificence des œuvres réussies. Rhett, très en forme, batifolait dans l'appartement, caressé par les uns, subrepticement nourri par les autres d'une friandise négligemment déposée sur le tapis dans le dos de mon père, et effectuait ainsi, depuis le début du repas, des rondes régulières (le couloir, le salon, la salle, la cuisine, et de nouveau le couloir, etc.) ponctuées de quelques léchouilles généreuses. C'est la sœur de mon père, Marie, qui, la première, remarqua son absence. Je réalisai, en même temps que les autres, que nous n'avions effectivement pas constaté depuis un bon moment la récurrence du plumet blanc et agité qui dépassait des fauteuils et à quoi nous reconnaissions que le chien passait. Après un court laps de temps où nous comprîmes brutalement, mon père, ma mère et moi, ce qui probablement se tramait, nous bondîmes sur nos pieds comme mus par un seul ressort et nous précipitâmes vers la chambre où, par précaution, connaissant le loustic et son amour des cuisines, ma grand-mère avait entreposé le très précieux dessert.

La chambre était ouverte... Quelqu'un sans doute (on n'identifia jamais le coupable), malgré les admonestations en la matière, avait oublié d'en refermer la porte et le chien, auquel il n'est tout de même pas permis de demander de résister sans aide à sa propre nature, en avait tout naturellement conclu que la bûche lui appartenait. Ma mère poussa un cri de désespoir ; l'orfraie, dans la détresse, n'en pousse sûrement pas d'aussi déchirants. Rhett, selon toute probabilité trop alourdi par son lar cin pour réagir comme à l'accoutumée, c'est à-dire en filant entre les jambes pour gagner des contrées plus clémentes, restait là à nous regarder d'un œil dénué d'expression, à côté du plat vide qui avait comblé ses attentes. Vide n'est d'ailleurs pas exactement le mot. Avec une méthodique application, certain de n'être pas dérangé trop tôt, il avait entrepris la bûche de droite à gauche, puis de gauche à droite et ainsi de suite sur toute sa longueur, jusqu'à ce que nous arrivions et qu'il ne reste plus du succès au beurre doux qu'un mince filament étiré, dont il était bien vain d'espérer que nous puissions le reconvertir à nos assiettes. Telle Pénélope défaisant sur son métier, fil après fil et dans la longueur, une toile pourtant destinée à devenir tapisserie, Rhett avait effectué de ses babines industrieuses une minutieuse navette tissant le plaisir de son estomac de connaisseur.

Ma grand-mère en rit tant que l'incident, de catastrophe galactique, se mua en anecdote savoureuse. C'était aussi cela, le talent de cette femme, que de discerner le sel de l'existence là où d'autres n'en voient que les inconvénients. Elle paria que le chien serait puni de lui-même par la monumentale indigestion que l'ingurgitation d'une pâtisserie prévue pour quinze ne pouvait manquer de déclencher promptement. Elle se trompait. Malgré la proéminence suspecte observable quelques heures durant au niveau de son estomac, Rhett liquida très bien son repas de Noël qu'il entérina par une sieste profonde, entrecoupée de quelques couinements de plaisir, et c'est sans grande indignation qu'il contempla le lendemain sa gamelle vide, piètre mesure de rétorsion décidée par mon père qui, pour le moins, n'avait pas goûté la frasque.

Faut-il une morale à cette histoire ? J'en voulus brièvement à Rhett de m'avoir privé d'un plaisir annoncé. Mais j'avais aussi ri à gorge déployée de cette injure sereine que le chien avait faite au labeur acharné de mon dragon de grand-mère. Et surtout, une pensée m'avait effleuré et je l'avais trouvée fort réjouissante. Il y avait attablés pour cette occasion tant de parents pour lesquels j'avais au mieux du mépris, au pire de l'animosité, qu'il me paraissait finalement délectable que le gâteau qui était destiné à leurs tristes papilles eût réjoui celles de mon chien auquel j'attribuais des talents de gourmet. Je ne suis pourtant pas de ceux qui préfèrent leur chien à un homme qu'ils ne connaissent pas. Un chien, ce n'est qu'une chose mouvante, aboyante et frétillante qui se balade dans le champ de notre quotidien. Mais tant qu'à dire son dégoût de ceux qui le méritent, autant le faire, c'est vrai, au moyen de ces drôles de bêtes à poil, négligeables mais aussi fabuleuses par la force de dérision que, indépendamment d'elles-mêmes, elles véhiculent innocemment.

Un clown, un cadeau, un clone : il était les trois à la fois, drôle dans le raffinement douillet de sa silhouette rieuse, cadeau qu'il faisait de lui-même en irradiant la gentillesse sans apprêts de son âme de chiot, clone de moi-même mais sans l'être vraiment : je ne voyais plus en lui le chien, non plus que je ne le faisais homme ; il était Rhett, Rhett avant tout, avant d'être chien, ange, bête ou démon. Mais si je l'évoque à quelques heures de ma fin, c'est parce que j'ai commis un affront en l'oubliant dans mon évocation précédente des parfums naturels. Rhett, en effet, était à lui seul une réjouissance olfactive. Oui, mon chien, mon dalmatien reniflait une senteur du tonnerre ; croyez-le ou ne le croyez pas . il sentait sur la peau du cou et au sommet de son crâne bien campé le pain brioché un peu grillé tel qu'il embaume la cuisine les matins au beurre et à la confiture de mirabelles. Ainsi, Rhett fleurait bon la brioche tiède, le fumet de levure chaleureuse, déclenchant immédiatement le désir d'y planter les dents, et il faut se représenter cela : toute la journée durant, le chien gambadait en tous les endroits de la maison et du jardin ; qu'il trottinât, suprêmement affairé, du salon au bureau, qu'il galopât à l'autre bout du pré en croisade contre trois corneilles présomptueuses ou piétinât dans la cuisine en attente d'une friandise, toujours il diffusait autour de lui l'odeur évocatrice et constituait ainsi une ode permanente et vivante à la brioche du dimanche matin lorsque, engourdis mais heureux de ce jour de repos qui commence, nous enfilons un vieux chandail confortable et descendons préparer du café en surveillant du coin de l'œil la boule brune qui repose sur la table. On se sent délicieusement mal réveillé on jouit encore quelques instants, dans le silence, de n'être pas soumis à la loi du travail, on se frotte les yeux avec de la sympathie pour soi-même et, quand monte l'odeur palpable du café chaud, on s'assied enfin devant son bol fumant, on presse amicalement la brioche qui se déchire doucement, on en traîne un morceau dans l'assiette de sucre en poudre, au centre de la table, et, les yeux mi-clos, on reconnaît sans se le dire la tonalité douce-amère du bonheur. C'est tout cela qu'évoquait Rhett en sa présence odoriférante et ces allées et venues de boulangerie ambulante n'étaient pas pour rien dans l'amour que je lui portais.

Dans ces évocations de Rhett, au travers de cette péripétie à laquelle je n'ai pas songé depuis des siècles, j'ai reconquis une odeur qui m'avait déserté : celle de la viennoiserie tiède et odorante qui logeait sur la tête de mon chien. Une odeur et donc d'autres souvenirs, ceux des toasts beurrés que, le matin, aux États-Unis, je dévorais ébahi de la symbiose du pain et du beurre que l'on a mis à griller *ensemble*.

(Anna)

Rue de Grenelle, le couloir

Qu'est-ce que je vais devenir, mon Dieu, qu'est-ce que je vais devenir ? Je n'ai plus de force, plus de souffle, je suis vidée, exsangue. Je sais bien qu'ils ne comprennent pas, sauf peut-être Paul, je sais ce qu'ils pensent… Jean Laura, Clémence, où êtes-vous ? Pourquoi ce silence, pourquoi cette distance, pourquoi tous ces malentendus alors que nous aurions pu être si heureux tous les cinq ? Vous ne voyez qu'un vieil homme acariâtre et autoritaire, vous n'avez jamais vu qu'un tyran, qu'un oppresseur, qu'un despote qui nous rendait la vie impossible à vous, à moi — vous vous êtes voulus les chevaliers servants qui me consoleraient de ma détresse d'épouse délaissée et, finalement, je ne vous ai pas détrompés, je vous ai laissés embellir mon quotidien de vos rires d'enfants aimants et réconfortants, je vous ai tu ma passion, je vous ai tu mes raisons. Je vous ai tu qui je suis.

J'ai toujours su quelle vie nous mènerions

ensemble. Du premier jour, j'ai entrevu les fastes pour lui, loin de moi, les autres femmes, la carrière d'un séducteur au talent fou, miraculeux ; un prince, un seigneur sans cesse en chasse hors de ses murs et qui, d'année en année, s'éloignerait toujours un peu plus, ne me verrait même plus, transpercerait mon âme hantée de ses yeux de faucon pour embrasser, au-delà, une vue qui m'échapperait. Je l'ai toujours su et cela ne comptait pas. Seuls comptaient ses retours et il revenait toujours et cela me suffisait, d'être celle à laquelle on revient, distraitement, vaguement — mais sûrement. Si vous saviez, vous comprendriez... Si vous saviez quelles nuits j'ai passées, quelles nuits dans ses bras, tremblante d'excitation, morte de désir, écrasée de son poids royal, de sa force divine, heureuse, si heureuse, comme la femme amoureuse dans le harem les soirs où vient son tour, quand elle reçoit avec recueillement les perles de ses regards — car elle ne vit que pour lui, pour ses étreintes, pour sa lumière. Peut-être la trouve-t-il tiède, timide, enfantine ; au-dehors, il y a d'autres amantes, des tigresses, des chattes sensuelles, des panthères lubriques, avec lesquelles il rugit de plaisir, dans une débauche de râles, de gymnastique érotique, et quand c'est fini, il a l'impression d'avoir réinventé le monde, il est gonflé d'orgueil, gonflé de foi en sa virilité — mais elle, elle jouit d'une jouissance plus profonde, d'une jouissance muette, elle se donne, elle se donne tout entière, elle reçoit religieusement et c'est dans le silence des églises qu'elle atteint le pinacle, presque en catimini, parce qu'elle n'a besoin que de cela : de sa présence, de ses baisers. Elle est heureuse.

Alors ses enfants... elle les aime, évidemment. Les joies de la maternité et de l'éducation, elle les a connues ; et aussi l'horreur d'avoir à élever des enfants que leur père n'aime pas, la torture de les voir peu à peu apprendre à le haïr de les dédaigner et de la délaisser... Mais surtout, elle se sent coupable parce qu'elle les aime moins que lui, parce qu'elle n'a pas pu, pas voulu les protéger de celui qu'elle attendait de toute son énergie éveillée, sans qu'il restât de place pour le reste, pour eux... Si j'étais partie, si j'avais pu le haïr moi aussi, alors je les aurais sauvés, alors ils auraient été libérés de la geôle dans laquelle je les ai jetés, celle de ma résignation, celle de mon désir fou pour mon propre bourreau... J'ai éduqué mes enfants à aimer leur tortionnaire... Et je pleure aujourd'hui des larmes de sang, parce qu'il meurt, parce qu'il s'en va...

Je me souviens de notre splendeur, j'étais à ton bras, je souriais dans l'air doux du soir, dans ma robe de soie noire, j'étais ta femme et tout le monde se retournait sur nous, avec ce murmure, ce chuchotement admiratif au creux de nos pas, qui nous accompagnait partout, qui nous suivait comme une brise légère, éternellement… Ne meurs pas, ne meurs pas… Je t'aime…

Le toast

Rue de Grenelle, la chambre

C'était un séjour de séminaire, à une époque où j'étais déjà reconnu et où, invité par la communauté française de San Francisco, j'avais élu domicile chez un journaliste français qui résidait près du Pacifique, dans les quartiers sud-ouest de la ville. C'était le premier matin, j'avais une faim de loup et mes hôtes discutaient trop longuement à mon goût de l'endroit où ils m'emmèneraient prendre le « breakfast » de ma vie. Par la fenêtre ouverte, j'avisai sur un petit bâtiment aux allures de préfabriqué amélioré une pancarte indiquant : John's Ocean Beach Cafe, et je décidai de m'en contenter.

Déjà, la porte me conquit. Accroché au chambranle par une cordelette dorée, le panneau « open » s'accordait très bien avec le bouton de cuivre rutilant et donnait à l'arrivée dans le café un petit je-ne-sais-quoi d'accueillant qui m'impressionna agréablement. Mais lorsque je pénétrai dans la salle, je fus transporté. C'était comme cela que j'avais rêvé l'Amérique et, contre toute attente, faisant fi de ma certitude que, sur place, je réviserais tous mes clichés, c'était bien comme cela qu'elle était : une grande salle rectangulaire avec des tables en bois et des banquettes recouvertes de Skaï rouge ; aux murs, des photos d'acteurs, une image tirée d'*Autant en emporte le vent* avec Scarlett et Rhett sur le bateau qui les mène à La Nouvelle-Orléans ; un immense comptoir en bois bien ciré encombré de beurre, de carafes de sirop d'érable et de bouteilles de Ketchup. Une serveuse blonde, au fort accent slave, s'avança vers nous la cafetière à la main ; derrière le bar, John, le maître queux, aux allures de mafioso italien, s'activait à faire griller des hamburgers, la lippe dédaigneuse et le regard désabusé. L'intérieur démentait l'extérieur : ici, tout n'était que patine, mobilier désuet et odeurs divines de friture. Ah, John ! Je pris connaissance de la carte, choisis des « Scrambled Eggs with Sausage and John's special Potatoes » et vis arriver devant moi, en sus d'une tasse fumante de café imbuvable, une assiette ou plutôt un plat débordant d'œufs brouillés et de pommes de terre sautées à l'ail, orné de trois petites saucisses grasses et parfumées, tandis que la jolie Russe posait à côté du tout une plus petite assiette recouverte de toasts beurrés et agrémentée d'un godet de confiture de myrtilles. On dit que les Américains sont gros parce qu'ils mangent trop et mal. C'est vrai, mais il ne faut pas incriminer à ce sujet leurs pantagruéliques petits déjeuners. Je suis enclin à penser, tout au contraire, qu'il faut bien cela à un homme pour affronter la journée et que nos piteux premiers repas de Français, dans la veulerie toute teintée de snobisme qu'ils mettent à éviter le salé et la cochonnaille, sont des offenses aux réquisits du corps.

Au moment où je mordis dans la tranche de pain, repu d'avoir fait honneur, jusqu'à la dernière fourchettée, à mon assiette garnie, je fus saisi d'un inexprimable bien-être. Pourquoi donc, chez nous, s'obstine-t-on à ne beurrer le pain qu'après qu'il a été toasté ? Si les deux entités sont soumises ensemble aux œillades du feu, c'est parce que, de cette intimité dans la brûlure, elles retirent une complicité sans égale. Ainsi, le beurre, qui a perdu de sa consistance crémeuse, n'est pas non plus liquide comme il le serait à être fondu seul, au bain-marie, dans une casserole. Le toast, à l'avenant, perd de sa sécheresse un peu triste et devient une substance humide et chaude qui, ni éponge ni pain mais à mi-chemin entre les deux, émoustille les papilles de sa suavité recueillie.

C'est terrible comme je sens que je suis proche. Le pain, la brioche... il me semble que j'ai enfin emprunté la bonne voie, celle qui conduit à ma vérité. Ou bien n'est-ce qu'un fourvoiement de plus, une fausse piste qui m'égare et ne me convainc que pour mieux me décevoir et rire avec sarcasme de ma déconfiture ? J'essaie d'autres alternatives. Poker.

(Rick)

Rue de Grenelle, la chambre

Voilà, je me prélaaaaâsse tel un prélat un peu las, haha... Quel style félin !

Je m'appelle Rick. Mon maître est assez enclin à donner des noms de cinéma à ses animaux domestiques mais je précise tout de suite que je suis le favori. Eh oui. Il y en a eu des chats qui ont défilé ici, certains malheureusement peu robustes, vite disparus, d'autres victimes d'accidents tragiques (comme l'année où on a dû réparer la gouttière qui avait cédé sous le poids d'une petite chatte blanche très sympathique nommée Scarlett), d'autres à la longévité plus affirmée, mais maintenant, il ne reste que moi, moi et mes dix-neuf ans à traîner mes guêtres de matou sur les tapis d'Orient du logis, moi, le préféré, moi, l'alter ego du maître, le seul, l'unique, celui auquel il a déclaré sa flamme pensive, un jour que je m'étirais sur sa dernière critique, sur le bureau, sous la grande lampe chaude — « Rick, m'a-t-il dit en me triturant merveilleusement les poils du bas de l'échine, Rick, mon préféré, oh oui, tu es un beau chat, là, là... à toi, je n'en veux pas, tu peux même déchirer ce papier, je ne t'en veux jamais... mon beau matou aux moustaches de gourgandin... au poil lisse... à la musculature d'Adonis... aux reins herculéens... aux yeux d'opale irisée... oui... mon beau chat... mon unique... »

Pourquoi Rick ? vous dites-vous. Je me suis souvent posé la question mais comme je n'ai pas de mots pour la formuler, elle est restée lettre morte jusqu'à ce soir de décembre, il y a dix ans, où cette petite dame rousse qui prenait le thé à la maison avec Maître lui a demandé d'où me venait ce nom en me flattant doucement l'encolure (je l'aimais bien, cette dame, elle apportait toujours avec elle un fumet de gibier très inhabituel pour une femme, alors que ses consœurs sont immanquablement enduites de parfums lourds et capiteux, sans une petite odeur de venaison par où le chat [le vrai] reconnaît son bonheur). Il a répondu : « Cela vient du personnage de Rick dans *Casablanca*, c'est un homme qui sait renoncer à une femme parce qu'il lui préfère sa liberté. » J'ai bien senti qu'elle se raidissait un peu. Mais j'ai apprécié, aussi, cette aura de séducteur viril dont Maître me gratifiait par sa réponse cavalière.

Bien sûr, aujourd'hui, il n'est plus question de cela. Aujourd'hui, Maître va mourir. Je le sais, j'ai entendu Chabrot le lui dire, et quand il est parti, Maître m'a pris sur ses genoux, m'a regardé dans les yeux (ils devaient vraiment être très piteux, mes pauvres yeux fatigués, et ce n'est pas parce que les chats ne pleurent pas qu'ils ne savent pas exprimer la tristesse) et m'a dit, avec peine : « N'écoute jamais les toubibs, trésor. » Mais je vois bien que c'est la fin. La sienne et la mienne, parce que j'ai toujours su qu'il nous faudrait mourir ensemble. Et alors que sa main droite repose à présent sur ma queue docile et que je gare mes coussinets sur le rebondi de l'édredon, je me souviens.

C'était toujours ainsi. J'entendais son pas rapide sur les dalles de l'entrée qui, bientôt, enjambait deux à deux les marches de l'escalier. Instantanément, je bondissais sur mes pattes de velours, je filais promptement dans le vestibule et, sur le kilim un peu ocre, entre portemanteau et console de marbre, j'attendais sagement.

Il ouvrait la porte, enlevait son pardessus, le suspendait d'un geste sec, me voyait enfin et se penchait vers moi pour me caresser en souriant. Anna arrivait très vite mais il ne levait pas les yeux vers elle, il continuait de m'effleurer, de me peloter gentiment — « Il n'a pas maigri, ce chat, Anna ? demandait-il avec une pointe d'inquiétude dans la voix. — Mais non, mon ami, mais non. » Je le suivais dans son bureau, j'exécutais son numéro préféré (se ramasser, bondir et, sans bruit, avec la souplesse du cuir, atterrir sur le sous-main de maroquin) — « Ah, mon chat, viens donc là, viens donc me raconter ce qui s'est passé depuis tout ce temps... moui... j'ai un travail de damné. . mais toi tu t'en fiches et tu as bien raison.. oh le petit bedon soyeux... allez, allonge toi là que je travaille... »

Il n'y aura plus de froissement régulier de la plume sur la feuille blanche, plus de ces après-midi de pluie battant sur le carreau où, dans le confort étouffé de son bureau impénétrable, je m'alanguissais auprès de lui et, fidèlement, accompagnais la gestation de son œuvre grandiose. Plus jamais.

Le whisky

Rue de Grenelle, la chambre

Mon pépé avait fait la guerre avec lui. Depuis cette époque mémorable, ils n'avaient plus grand-chose à se dire mais elle avait scellé entre eux une amitié indéfectible qui ne s'arrêta même pas à la mort de mon grand-père puisque Gaston Bienheureux — c'était son nom — continua à rendre visite à sa veuve tout le temps qu'elle vécut encore et eut jusqu'à la délicatesse muette de mourir quelques semaines après elle, son devoir accompli.

Quelquefois, pour affaires, il venait en visite à Paris et ne manquait pas de s'arrêter chez son ami, avec un petit carton de son dernier cru. Mais deux fois l'an, pour Pâques et pour la Toussaint, c'est le pépé qui « descendait » en Bourgogne, seul, sans sa femme, pour trois jours que l'on supposait arrosés et dont il revenait peu loquace, daignant tout juste indiquer qu'ils avaient « bien causé ».

Lorsque j'eus quinze ans, il m'emmena avec

lui. La Bourgogne est surtout réputée pour ses vins de la « Côte », cette mince sente verdoyante qui s'étend de Dijon à Beaune et aligne une impressionnante palette de noms prestigieux : Gevrey-Chambertin, Nuits-Saint-Georges, Aloxe-Corton, et aussi, plus au sud, Pommard, Monthélie, Meursault, presque exilés aux frontières du comté. Gaston Bienheureux, lui, n'enviait pas ces nantis. À Irancy il était né, à Irancy il vivait. à Irancy il mourrait. Dans ce petit village de l'Yonne niché dans la farandole de ses collines et tout entier dévoué au raisin qui s'épanouit sur son sol généreux, personne ne jalouse les lointains voisins car le nectar qu'on y produit amoureusement ne cherche pas la compétition. Il connaît ses forces, il a de la valeur : il ne lui en faut pas plus pour perdurer dans l'existence.

Les Français sont souvent, en matière de vin, d'un formalisme qui frise le ridicule. Mon père m'avait amené, quelques mois plus tôt, visiter les caves du Château de Meursault : que de faste ! Les arceaux et les voûtes, la pompe des étiquettes, le miroitement cuivré des râteliers, le cristal des verres constituaient autant d'arguments pour la valeur du vin, mais autant d'obstacles à mon plaisir de le goûter. Parasité par ces intrusions luxueuses du décor et du décorum, je ne parvenais pas à démêler ce qui, du liquide ou de l'entour, venait taquiner ma langue de son aiguillon somptuaire. À vrai dire, je n'étais pas encore très sensible aux charmes du vin ; mais trop conscient que tout homme de bien se doit d'en apprécier la dégustation quotidienne, je n'avouais à personne, dans l'espoir que les choses finiraient par prendre le bon chemin, que je ne retirais de l'exercice que de bien médiocres satisfactions. Depuis, naturellement, j'ai été initié à la confrérie du vin, j'en ai compris puis dévoilé aux autres le corsé puissant qui pulse dans la bouche et la submerge d'un bouquet de tanin qui en décuple la saveur. Mais alors, trop vert pour me mesurer à lui, je le buvais avec un peu de réticence, attendant impatiemment qu'il me fasse enfin part de ses talents avérés. Ainsi, je m'étais moins réjoui de la faveur que me faisait mon pépé pour les promesses alcooliques qu'elle recelait que pour le plaisir d'être en sa compagnie et de découvrir une campagne que je ne connaissais pas.

Déjà, la contrée me plut, mais aussi la cave de Gaston, sans enjolivures, une simple et grande cave humide au sol de terre battue et aux murs de torchis. Ni voûtes ni ogives ; pas de château non plus pour accueillir le client, juste une jolie maison bourguignonne, fleurie par politesse et discrète par vocation ; quelques verres à pied ordinaires sur un tonneau, à l'entrée du caveau. C'est là que, à peine descendus de voiture, nous entamâmes la dégustation.

Et ça causait, et ça causait. Verre après verre, au fil des bouteilles que le vigneron débouchait les unes après les autres et dans le mépris des crachoirs disposés dans la pièce pour ceux qui voulaient goûter sans craindre de se saouler, ils buvaient méthodiquement, accompagnant le ressassement purement phatique de souvenirs sans doute imaginaires d'une descente impressionnante. Je n'étais plus moi-même bien vaillant lorsque le Gaston qui, jusque-là, ne m'avait prêté qu'une attention distraite, me considéra de manière plus acérée et lança à mon grand-père : « Il n'aime guère le vin, ce petiot, pas vrai ? » J'étais trop pompette pour protester de mon innocence. Et puis, avec son pantalon de travail, ses larges bretelles noires, sa chemise à carreaux rouges aussi colorés que son nez et ses joues, et son béret noir, il me plaisait bien, cet homme-là, et je n'avais pas envie de lui mentir. Je ne me récriai pas.

Tout homme est, en quelque façon, maître en son château. Le plus fruste des paysans, le plus inculte des vignerons, le plus minable des employés, le plus miteux des commerçants, le plus paria parmi les parias de tous ceux qui, de la considération sociale, ont d'ores et déjà été exclus et méconnus, le plus simple des hommes donc possède toujours par-devers lui le génie propre qui lui donnera son heure de gloire. A fortiori Gaston, qui n'était pas un paria. Ce simple travailleur, négociant prospère certes mais avant tout paysan reclus en ses arpents de vignoble, devint en un instant pour moi prince parmi les princes, parce que en toute activité noble ou décriée, il y a toujours la place pour une fulguration de toute-puissance.

« Tu ne devrais pas lui apprendre la vie, Albert ? demanda-t-il. Serait-il d'attaque pour un PMG, le loupiot ? » Et mon grand-père rit doucement. « Tu vois mon gars, reprit Gaston stimulé par la perspective imminente de participer à mon éducation, tout ce que tu as bu aujourd'hui, c'est du bon, c'est du vrai. Mais le vigneron ne vend pas tout, il garde aussi pour lui, pour la soif, pas pour le commerce (sa bobine débonnaire était fendue de l'oreille à l'oreille par un sourire de renard madré), tu t'en doutes. Alors dans un coin, il se garde du PMG, du “ pour ma goule ”. Et quand il est en compagnie, en bonne compagnie je veux dire, et bien il tape dans son PMG. » Il s'arracha d'un coup à son sirotage déjà bien avancé. « Viens-t'en, viens donc », répéta-t-il impatienté alors que je me mettais péniblement en branle L'œil un peu torve, la langue empâtée par les menées de l'alcool, je le suivis au fond de la cave et, quoique vivement intéressé par ce nouveau concept, le PMG, qui m'ouvrait des horizons inédits sur le train de vie des gentilshommes de goût, j'anticipais une nouvelle glougloutation de pinard qui ne manquait pas de m'affoler un peu. « Comme tu es encore un peu jeunot pour les choses sérieuses, reprit-il devant une armoire forteresse armée d'un énorme cadenas, et qu'avec les parents que tu as, il ne faut pas en attendre trop non plus (il coula en douce vers mon grand-père un regard bétonné d'implicite — Albert ne pipa mot), m'est avis qu'il faut te ramoner le tuyau avec quelque chose de plus astringent. Ce que je vais te sortir de derrière les fagots, c'est certain, tu n'en as jamais bu. C'est du bon. Ce sera un baptême. Et là je dis : il y aura vraiment éducation. »

Il extirpa d'une poche sans fond un trousseau de clefs fort chargé, en introduisit une dans la gigantesque serrure, la tourna. La mine de mon pépé était subitement devenue plus grave. Alerté par cette soudaine solennité, je reniflai nerveusement, redressai une échine largement avachie par la buvette et attendis passablement soucieux que Gaston, fort important, retire du coffre-fort une bouteille ceinte de noir qui n'était pas de vin, et un verre plat, large et sans ornements.

Du PMG. Il faisait venir son whisky d'Écosse, d'une des meilleures distilleries du pays. Le propriétaire en était un gars qu'il avait connu en Normandie, juste après la guerre, et avec lequel il s'était découvert tout de suite les atomes crochus des liquides à degrés. Chaque année, une caisse du précieux whisky rejoignait les quelques bouteilles mises à l'ombre pour son usage personnel. Et de cépage en tourbe, de rubis en ambre et d'alcool en alcool, il conciliait les deux dans l'avant et le pendant de repas qu'il qualifiait lui-même de foncièrement européens.

« Je vends de bonnes choses, les meilleures sont pour ma gueule. » Dans le traitement qu'il réservait à ces quelques rescapées des vendanges et au whisky de l'ami Mark (il ne servait à ses invités usuels qu'un très bon whisky acheté dans la région, qui était à celui de l'Écossais ce que la tomate en conserve est à sa consœur des potagers), il grandit d'un coup dans mon estime d'adolescent qui supputait déjà que la grandeur et la maîtrise se mesurent aux exceptions et non aux lois, fussent-elles celles des rois. Cette petite cave personnelle venait de faire à mes yeux de Gaston Bienheureux un artiste en puissance. Je n'ai jamais cessé de soupçonner par la suite tous les restaurateurs chez lesquels j'ai dîné de n'étaler sur les tables que les ouvrages mineurs de leur industrie et de se réserver, dans le secret de leurs alcôves culinaires, des victuailles panthéoniques inaccessibles au commun des mortels. Mais pour l'heure, ces considérations philosophiques n'étaient pas d'actualité. Je fixais pesamment le liquide mordoré chichement versé et, rempli d'appréhension, je cherchais au fond de moi-même le courage de l'affronter.

Déjà, l'odeur inconnue me troubla au-delà de tout possible. Quelle formidable agression, quelle explosion musclée, abrupte, sèche et fruitée à la fois, comme une décharge d'adrénaline ayant déserté les tissus où elle se complaît d'habitude pour se vaporiser à la surface du nez, condensé gazeux de falaises sensorielles... Stupéfait, je découvris que ce relent de fermentation incisive me plaisait.

Telle une marquise éthérée, je trempai précautionneusement mes lèvres dans le magma tourbeux et... ô violence de l'effet ! C'est une déflagration de piment et d'éléments déchaînés qui détone soudain dans la bouche ; les organes n'existent plus, il n'y a plus ni palais, ni joues, ni muqueuses : juste la sensation ravageuse qu'une guerre tellurique se déroule en nous-mêmes. Je laissai, de ravissement, la première gorgée s'attarder un instant sur ma langue, des ondulations concentriques continuèrent de l'entreprendre un long moment encore. C'est la première manière de boire le whisky : en le lichant férocement, pour en humer le goût âpre et sans appel. La deuxième goulée, en revanche, advint dans la précipitation ; aussitôt avalée, elle n'échauffa qu'à retardement mon plexus solaire — mais quel échauffement !

Dans ce geste stéréotypé du buveur d'eaux-de-vie fortes qui absorbe d'un trait l'objet de sa convoitise, attend un instant, puis ferme les yeux sous le choc et exhale un soupir d'aise et de commotion mêlés, il y a la deuxième manière de boire le whisky, avec cette quasi-insensibilité des papilles parce que l'alcool ne fait que transiter dans la gorge, et cette parfaite sensibilité du plexus, soudain envahi de chaleur comme d'une bombe au plasma éthylique. Ça chauffe, ça réchauffe, ça défrise, ça réveille, ça fait du bien. C'est un soleil qui, de ses radiations bienheureuses, assure le corps de sa présence rayonnante.

C'est ainsi que, au cœur de la Bourgogne vinicole, je bus mon premier whisky et expérimentai pour la première fois son pouvoir de réveiller les morts. Ironie des choses : que Gaston lui-même me l'ait fait découvrir aurait dû me mettre sur la piste de mes ardeurs véritables. Toute ma carrière durant, je ne l'ai considéré que comme une boisson qui, pour être délectable, n'en était pas moins de second plan et je n'ai octroyé qu'à l'or du vin les éloges et les prophéties les plus capitales de mon œuvre. Hélas... je ne le reconnais qu'aujourd'hui : le vin, c'est le bijou raffiné que seules les femmes conviennent préférer aux strass étincelants que les petites filles admirent ; j'ai appris à aimer ce qui en vaut la peine mais ai négligé d'entretenir ce qu'une passion immédiate exceptait de toute obligation d'éducation. Je n'aime vraiment que la bière et le whisky — même si je reconnais que le vin est divin. Et puisqu'il est dit qu'aujourd'hui ne sera qu'une longue suite de contritions, en voici donc une autre : ô whisky méphistophélique, je t'ai aimé dès la première lampée, trahi dès la deuxième, — mais jamais je n'ai retrouvé, dans le carcan de saveurs que ma position m'imposait, une telle expansion nucléaire à en emporter la mâchoire de félicité.

Désolation : j'assiège ma saveur perdue dans la mauvaise cité .. Ni vent, ni bruyère d'une lande désolée, ni lochs profonds et murs de pierre sombre. Tout cela manque de mansuétude, d'aménité, de modération. Glace et non feu : je suis acculé dans la mauvaise impasse.

(Laure)

Nice

On est bien peu de chose, et mon amie la rose me l'a dit ce matin... Mon Dieu, que cette chanson est triste... que je suis triste moi-même... et lasse, si lasse...

Je suis née dans une vieille famille de France où les valeurs sont aujourd'hui ce qu'elles ont toujours été. D'une rigidité de granit. Jamais il ne me serait venu à l'esprit qu'on pût les remettre en cause ; une jeunesse idiote et désuète, un peu romantique, un peu diaphane, à attendre le Prince charmant et à exhiber mon profil de camée au gré des occasions mondaines. Et puis je me suis mariée, et tout naturellement ce fut le passage de la tutelle de mes parents à celle de mon mari, et les espoirs déçus, et l'insignifiance de ma vie de femme maintenue dans l'enfance, consacrée au bridge et aux réceptions, dans un désœuvrement qui ne connaissait même pas son nom.

Alors je l'ai rencontré. J'étais jeune encore, et

belle, une biche gracile, une proie trop facile. Excitation de la clandestinité, adrénaline de l'adultère, fièvre du sexe interdit : j'avais trouvé mon Prince, j'avais dopé ma vie, je jouais, sur le sofa, les belles alanguies, je le laissais admirer ma beauté longiligne et racée, j'étais enfin, j'existais et, dans son regard, je devenais déesse, je devenais Vénus.

Bien sûr, il n'avait que faire d'une petite fille sentimentale. Ce qui pour moi était transgression n'était pour lui que divertissement futile, que distraction charmante. L'indifférence est plus cruelle que la haine ; du non-être je venais, au non-être je retournai. À mon mari lugubre, à ma frivolité blafarde, à mon érotisme d'oie blanche, à mes pensées vides de bécasse gracieuse : à ma croix, à mon Waterloo.

Qu'il meure donc.

La glace

Rue de Grenelle, la chambre

Ce que j'aimais, chez Marquet, c'était sa générosité. Sans chercher à tout prix l'innovation là où tant de grands chefs redoutent d'être taxés d'immobilisme, mais sans se complaire non plus dans ses réalisations présentes, elle ne travaillait sans relâche que parce que, en fin de compte, c'était dans sa nature et qu'elle aimait cela. Ainsi, chez elle, on pouvait tout aussi bien folâtrer dans une carte perpétuellement jouvencelle que réclamer un plat des années précédentes, qu'elle exécutait avec la bonne grâce d'une prima donna adulée que l'on supplie de chanter à nouveau un des airs qui ont fait sa renommée.

Cela faisait vingt ans que je festoyais chez elle. De tous les grands que j'ai eu le privilège de fréquenter intimement, elle a été la seule à incarner mon idéal de perfection créatrice. Jamais elle ne me déçut ; ses plats, toujours, me désarçonnaient jusqu'au sang, jusqu'à l'attaque, peut-être justement parce que, chez elle, ce délié et cette originalité dans une provende perpétuellement inventive étaient naturels.

Ce soir-là de juillet, j'avais pris place à *ma* table du dehors avec la surexcitation des enfants facétieux. La Marne, à mes pieds, clapotait doucement. La pierre blanche du vieux moulin restauré, à cheval entre la terre et la rivière, gangrenée, par endroits, d'une mousse vert tendre qui s'insinuait dans la moindre fissure, luisait doucement dans l'obscurité naissante. Dans un instant, on allait allumer les terrasses. J'ai toujours particulièrement prisé les campagnes fertiles où une rivière, une source, un torrent, ruisselant à travers la prairie, confère aux lieux la sérénité des atmosphères uligi-naires. Une maison au bord de l'eau : c'est la quiétude cristalline, c'est l'attrait de l'eau qui dort, c'est l'indifférence minérale de la cascade, sitôt arrivée, sitôt repartie, qui relativise incontinent les soucis de l'humain. Mais ce jour-là, incapable de savourer les charmes de l'endroit, j'y étais presque hermétique et attendais, avec une patience modérée, l'arrivée de la maîtresse des lieux. Elle fut là presque aussitôt.

« Voilà, lui dis-je, ce soir je voudrais un souper un peu particulier. » Et j'énumérai mes souhaits.

Carte. 1982 : *Le Royal d'oursin au Sansho, râble, rognons et foie de lapereau aux bigorneaux. Galette de blé noir.* 1979 . *Le Macaire d'agria a la morue ; maco violet du Midi, huîtres grasses Gillardeau et foie gras grillé. Bouillon de maquereau lié aux poireaux.* 1989 : *Le Tronçon épais de turbot cuit en cocotte aux aromatiques ; déglaçage au cidre fermier. Quartiers de poires comices aux verts de concombre.* 1996 : *Le Pastis de pigeon Gauthier au macis, fruits secs et foie gras aux radis.* 1988 : *Les Madeleines aux fèves Tonka.*

C'était un florilège. Ce que des années de fougue culinaire avaient mis au jour de blandices intemporelles, je le réunissais en une seule fournée d'éternité, j'extrayais de la masse informe des mets accumulés les quelques pépites véritables, perles contiguës d'un collier de déesse, qui en feraient une œuvre de légende

Un moment de triomphe. Elle me regarda un instant estomaquée, le temps de *comprendre*, abaissa son regard sur mon assiette encore vide , puis, lentement, en me fixant d'un œil ô combien appréciateur, élogieux, admiratif, respectueux tout à la fois, hocha la tête et plissa les lèvres en une moue d'hommage déférent. « Mais oui, bien sûr, dit-elle, bien sûr ; c'est l'évidence… »

Naturellement, ce fut une ripaille d'anthologie, et ce fut peut-être la seule fois de notre longue cohabitation de gastronomes que nous fûmes vraiment unis dans la ferveur d'un repas, ni critique ni cuisinière, seulement connaisseurs de haute voltige partageant l'allégeance à une même affection. Mais bien que ce souvenir de grande lignée flatte entre tous ma suffisance de créateur, ce n'est pas pour cela que je l'ai fait émerger des brumes de mon inconscience.

Des madeleines aux fèves Tonka ou de l'art du raccourci cavalier ! Il serait insultant de croire qu'un dessert chez Marquet pût se contenter de coucher sur l'assiette quelques étiques madeleines émaillées de fèves en pluie. La pâtisserie n'était guère qu'un prétexte, celui d'un psaume sucré, miellé, fondant et nappé où, dans la folie des biscuits, des confits, des glaçages, des crêpes, du chocolat, du sabayon, des fruits rouges, des glaces et des sorbets se jouait une déclinaison progressive de chauds et de froids par où ma langue experte, claquant d'une satisfaction compulsive, dansait la gigue endiablée des bals de grande allégresse. Les glaces et les sorbets, en particulier, avaient toute ma faveur. J'adore les glaces : crèmes glacées saturées de lait, de gras, de parfums artificiels, de morceaux de fruits, de grains de café, de rhum, gelati italiens à la solidité de velours et aux escaliers de vanille, de fraise ou de chocolat, coupes glacées croulant sous la chantilly, la pêche, les amandes et les coulis de toutes sortes, simples bâtonnets au nappage craquant, fin et tenace à la fois. qu'on déguste dans la rue, entre deux rendez-vous, ou le soir, en été, devant la télévision, quand il est clair désormais que c'est seulement ainsi, et pas autrement, qu'on aura un peu moins chaud, un peu moins soif, sorbets enfin, synthèses réussies de la glace et du fruit, rafraîchissements robustes s'évanouissant dans la bouche en une coulée de glacier. Justement, l'assiette qu'on avait posée devant moi en réunissait quelques-uns de sa confection, dont l'un à la tomate, l'autre, très classique, aux fruits et baies de la forêt, et un troisième, enfin, à l'orange.

Dans le simple mot « sorbet », déjà, tout un monde s'incarne. Faites l'exercice de prononcer à voix haute : « Veux-tu de la glace ? » puis d'enchaîner, immédiatement, sur : « Veux-tu du sorbet ? », et constatez la différence. C'est un peu comme lorsqu'on lance, en ouvrant la porte, un négligent : « Je vais acheter des gâteaux », alors qu'on aurait très bien pu, sans désinvolture ni banalité, se fendre d'un petit : « Je vais chercher des pâtisseries » (bien détacher les syllabes : non pas « pâtissries » mais « pâ-tis-*se*-ries ») et, par la magie d'une expression un peu désuète, un peu précieuse, créer, à moindres frais, un monde d'harmonies surannées. Ainsi donc, proposer des « sorbets » là où d'autres ne songent qu aux « glaces » (dans lesquelles, fort souvent, le profane range aussi bien les préparations à base de lait que d'eau), c'est déjà faire le choix de la légèreté, c'est prendre l'option du raffinement, c'est proposer une vue aérienne en refusant la lourde marche terrienne en horizon fermé. Aérienne, oui ; le sorbet est aérien, presque immatériel, il mousse juste un peu au contact de notre chaleur puis, vaincu, pressé, liquéfié, s'évapore dans la gorge et ne laisse à la langue que la réminiscence charmante du fruit et de l'eau qui ont coulé par là.

J'attaquai donc le sorbet à l'orange, le goûtai en homme averti, certain de ce que j'allais débusquer mais attentif malgré tout aux sensations toujours changeantes. Et puis quelque chose m'arrêta. Les autres eaux glacées, je les avais bues dans la tranquillité d'esprit de qui connaît son affaire. Mais celle-là, à l'orange, tranchait sur toutes les autres par son grainé extravagant, par son aquosité excessive, comme si on avait juste empli un petit bac d'un peu d'eau et d'une orange pressée qui, ensuite enfournés au froid le temps réglementaire, avaient produit des glaçons parfumés, rugueux comme l'est tout liquide impur que l'on met à congeler et qui rappelle fortement le goût de la neige pilée, grumeleuse, que nous buvions enfants, à même nos mains, les jours de grand ciel froid lorsque nous jouions au-dehors. Ainsi en décidait aussi ma grand-mère, l'été, quand il faisait si chaud que, parfois, je m'encastrais la tête dans l'embrasure du congélateur et que, suante et maugréante, elle se tordait sur le cou de larges torchons dégoulinants, qui servaient aussi à occire quelques mouches paresseuses agglutinées là où il ne fallait pas. Lorsque la glace avait pris, elle retournait le bac, le secouait vigoureusement au-dessus d'une coupe, pilait le bloc orangé et nous en servait une louche dans des verres volumineux dont nous nous saisissions comme de reliques sacrées. Et je réalisai que, finalement, je n'avais banqueté que pour cela : pour en arriver à ce sorbet à l'orange, à ces stalactites d'enfance, pour éprouver, ce soir entre tous, la valeur et la vérité de mes attachements gastronomiques.

Plus tard, dans la pénombre, je demandai à Marquet en chuchotant :

« Comment fais-tu cela, le sorbet, le sorbet à l'orange ? »

Elle se tourna à demi sur l'oreiller, des mèches légères s'enroulèrent autour de mon épaule.

« Comme ma grand-mère », me répondit-elle avec un sourire éclatant.

J'y suis presque. Le feu… la glace. la crème !

(Marquet)

Maison Marquet, environs de Meaux

Pas de doute, c'était un beau salaud. Il nous aura consommées, ma cuisine et moi, avec l'outrecuidance d'un rustre quelconque, comme si c'était naturel que Marquet fasse la révérence en offrant ses plats et ses fesses dès la première visite… Un beau salaud, mais nous avons eu du bon temps ensemble, et cela il ne me l'ôtera pas car il m'appartient, en définitive, d'avoir jubilé dans le dialogue avec un vrai génie de la gastronomie, d'avoir joui avec un amant d'exception et d'être restée tout de même une femme libre, une femme fière…

Je ne dis pas : s'il avait été libre, et s'il avait été homme à faire d'une femme autre chose qu'une poule disponible à toute heure — oui, je ne dis pas… Mais ça n'aurait pas été le même homme, n'est-ce pas ?

La mayonnaise

Rue de Grenelle, la chambre

Il n'y a rien de plus délectable que de voir l'ordre du monde se plier à celui de nos désirs. C'est une licence inouïe que d'investir un temple de la cuisine dans la félicité sans frein de pouvoir s'en offrir tous les mets. Frisson dissimulé lorsque le maître d'hôtel s'approche à pas feutrés ; son œil impersonnel, compromis fragile mais réussi entre le respect et la discrétion, est un hommage à votre capital social. Vous n'êtes personne parce que vous êtes quelqu'un ; ici, nul ne vous épiera, nul ne vous jaugera. Que vous ayez pu pénétrer dans ces lieux est un gage de légitimité suffisant. Petit coup au cœur discret lorsque vous ouvrez la carte de vélin grainé, damassé comme les serviettes d'antan. Étourdissement savamment dosé à farfouiller une première fois à l'aveuglette entre les murmures des plats. Le regard glisse, refuse un temps de se laisser happer par un poème précis, n'en saisit au vol que des fragments voluptueux, s'ébat dans la richesse luxueuse de termes alpagués au hasard. Culotte de veau de lait... cassate pistache... tranche de baudroie en scampi... galinette de palangre... au naturel... la gelée ambrée aux aubergines... assaisonnées de moutarde cramone... confit d'échalotes... marinière de bar poché... sabayon glacé... au moult de raisin... homard bleu... coffre de canard Pékin... Amorce d'extase enfin quand la magie opère d'elle-même et engouffre l'attention dans une ligne précise :

Coffre de canard Pékin frotté de berbère et rôti au sautoir ; crumble de pamplemousse de la Jamaïque et confit d'échalotes.

Vous réprimez une salivation intempestive, votre force de concentration a atteint ses cimes. Vous êtes en possession de la note dominante de la symphonie.

Ce n'est pas tant le canard, sa berbère et son pamplemousse qui vous ont ainsi électrisé, même s'ils enrobent l'annonce du plat d'une tonalité ensoleillée, épicée et sucrée et, dans la gamme chromatique, l'éparpillent quelque part entre le bronze, l'or et l'amande. Mais le confit d'échalotes, immédiatement aromatique et fondant, dardant sur votre langue encore nue la saveur anticipée du gingembre frais, de l'oignon mariné et du musc mêlés, a surpris, dans sa finesse et sa prodigalité, votre désir qui ne demandait que cela. À lui seul cependant, il n'eût point été décisif. Il aura fallu la poésie incomparable de ce « rôti au sautoir », évoquant en une cascade olfactive le fumet des volailles grillées en plein air sur les foires au bétail, le charivari sensoriel des marchés chinois, l'irrésistible craquant-moelleux de la viande saisie, ferme et juteuse au creux de son enveloppe croustillante, le mystère familier de ce sautoir, ni broche ni grille, qui berce le canard en cuisson, il aura fallu tout cela pour décider, en conjuguant l'odeur et le goût, de votre choix de ce jour. Il ne vous reste plus qu'à broder autour du thème.

Combien de fois ai-je ainsi plongé dans une carte comme on plonge dans l'inconnu ? Il serait vain de vouloir en tenir la comptabilité. Chaque fois, j'y ai éprouvé un plaisir intact. Mais jamais si aigu que ce jour où, aux fourneaux du chef Lessière, dans le saint des saints de l'exploration gastronomique, je dédaignai une carte assourdie de délices pour me vautrer dans le stupre d'une simple mayonnaise.

J'y avais trempé mon doigt, négligemment, en passant, comme on laisse courir sa main dans l'eau fraîche au fil d'une barque qui dérive sur l'eau. Nous discutions ensemble de sa nouvelle carte, l'après-midi, au creux de la vague des commensaux, je me sentais dans ses cuisines comme dans celle de ma grand-mère : un étranger familier introduit dans le harem. Je fus surpris de ce que je goûtai. C'était bien une mayonnaise et, justement, cela me troublait ; brebis égarée dans le troupeau des lions, le condiment traditionnel faisait ici figure d'archaïsme saugrenu. « Qu'est-ce ? » demandai-je, en entendant par là : comment une simple mayonnaise de ménagère a-t-elle atterri *ici* ? « Mais c'est une mayonnaise, me répondit-il en riant, ne me dis pas que tu ne sais pas ce que c'est qu'une mayonnaise. — Une mayonnaise comme ça, toute simple ? » J'en étais presque retourné. « Oui, toute simple. Je ne connais pas de meilleur moyen de la faire. Un œuf, de l'huile, du sel et du poivre. » J'insistai. « Et que va-t-elle accompagner ? » Il me regarda avec attention. « Je vais te dire, me répondit-il lentement, je vais te dire ce qu'elle va accompagner. » Et commandant à un marmiton de lui apporter des légumes et du rôti de porc froid, il s'attela aussitôt à la tâche d'éplucher les premiers

J'avais oublié, j'avais oublié cela, et lui, que sa qualité de maître d'œuvre et non de critique contraignait à ne jamais oublier ce qu'on appelle à tort les « bases » de la cuisine et qui en constitue bien plutôt la charpente mère, se chargeait de me le rappeler, en une leçon un peu méprisante qu'il me faisait par faveur, car les critiques et les chefs sont comme les torchons et les serviettes ; ils se complètent, ils se fréquentent, ils travaillent ensemble mais, au fond, ils ne s'aiment pas.

Carottes, céleris, concombres, tomates, poivrons, radis, choux-fleurs et brocolis : il les avait coupés dans la longueur, du moins pour ceux qui s'y prêtaient, c'est-à-dire hormis les deux derniers qui, en fleurette, pouvaient néanmoins être saisis par la queue, un peu comme on s'empare de la garde d'une épée. Avec cela, quelques fines tranches d'un rôti de porc nature, froid et succulent. Nous débutâmes la trempette.

On ne parviendra jamais à m'ôter de l'esprit que les crudités à la mayonnaise ont quelque chose de fondamentalement sexuel. La dureté du légume s'insinue dans l'onctuosité de la crème ; il n'y a pas, comme dans bien des préparations, de chimie par laquelle chacun des deux aliments perd un peu de sa nature pour épouser celle de l'autre et, comme le pain et le beurre, devenir dans l'osmose une nouvelle et merveilleuse substance. Là, la mayonnaise et les légumes restent pérennes, identiques à eux-mêmes mais, comme dans l'acte charnel, éperdus d'être ensemble. La viande, quant à elle, y récolte tout de même un gain supplémentaire ; c'est que ses tissus sont friables, qu'ils s'écartèlent sous la dent et se remplissent du condiment, de telle sorte que ce que l'on mastique ainsi, sans fausse pudeur, c'est un cœur de fermeté aspergé de velouté. À cela s'ajoute la délicatesse d'une saveur étale, car la mayonnaise ne comporte aucun mordant, aucun piment et, comme l'eau, étonne la bouche de sa neutralité affable ; puis les nuances exquises de la ronde légumière : piquant insolent du radis et du chou-fleur, sucré aqueux de la tomate, acidité discrète du brocoli, largesse en bouche de la carotte, anis croquant du céleri... c'est un régal.

Mais au moment où je me rappelle ce repas incongru, comme un pique-nique estival à la lisière d'un bois, un de ces jours parfaits où le soleil brille, où la brise souffle et où le cliché se pavoise, un nouveau souvenir se superpose à ma remémoration et, illumination subite venant octroyer à ma mémoire la profondeur de l'authenticité, fait lever en mon cœur un ouragan d'émotions, comme des bulles d'air qui se pressent vers la surface de l'eau et, libérées, éclatent en un concert de bravos. Car ma mère qui, je l'ai déjà dit, était une cuisinière affligeante, nous servait elle aussi et très souvent de la mayonnaise, mais une mayonnaise qu'elle avait achetée toute faite, au supermarché, dans un bocal en verre et qui, malgré cette offense faite au vrai goût, n'en induisait pas moins chez moi une inénarrable préférence. C'est que la mayonnaise conditionnée, qui doit faire le deuil du cachet artisanal et goûteux que la pure revendique, présente une caractéristique que celle-ci méconnaît ; le meilleur des cuistots doit tôt ou tard se rendre à la triste évidence : même le plus homogène et le plus onctueux des condiments, très vite, se désagrège un peu, se délite doucement, oh, peu, si peu, mais suffisamment tout de même pour que la consistance de la crème se complique d'un très léger contraste et doive renoncer, de façon microscopique, à rester ce qu'elle était au départ : lisse, lisse, absolument lisse, tandis que la mayonnaise de supermarché, elle, échappe à toute viscosité. Elle n'a pas de grain, pas d'éléments, pas de parties, et c'est cela que j'aimais passionnément, ce goût de rien, cette matière sans arête, sans prise par où la circonvenir et qui glissait sur ma langue avec la fluidité du soluble.

Oui, c'est cela, c'est presque cela. Entre le Coffre de canard Pékin et la pommade en conserve, entre l'antre d'un génie et les rayons de l'épicerie, je choisis les seconds, je choisis le petit supermarché affreux où se tenaient, en rangs mornes et uniformes, les coupables de ma délectation. Le supermarché... C'est curieux comme cela remue en moi une vague d'affects... Oui, peut-être... peut-être..

(Paul)

Rue de Grenelle, le couloir

Quel gâchis.

Il aura tout broyé sur son passage. Tout. Ses enfants, sa femme, ses maîtresses, jusqu'à son œuvre qu'au moment ultime il renie en une supplique qu'il ne comprend pas lui-même, mais qui vaut condamnation de sa science, dénonciation de ses engagements et qu'il nous adresse à nous, comme un mendiant, comme un loqueteux au bord du chemin, privé d'une vie qui ait un sens, séparé de sa propre compréhension — malheureux, enfin, de savoir, en cet instant entre tous, qu'il a poursuivi une chimère et prêché la mauvaise parole. Un plat... Que crois-tu, vieux fou, que crois-tu ? Qu'en une saveur retrouvée tu vas effacer des décennies de malentendus et te retrouver face à une vérité qui rachètera l'aridité de ton cœur de pierre ? Il possédait pourtant toutes les armes qui font les grands bretteurs : une plume, un esprit, du culot, du panache ! Sa prose... sa prose, c'était du nectar, c'était de l'ambroisie, un hymne à la langue, j'en avais chaque fois les tripes tordues, et peu importait qu'il parlât de nourriture ou d'autre chose, on se trompe de croire que l'objet comptait : c'était le dire qui rayonnait. La boustifaille n'était qu'un prétexte, peut-être même une échappatoire pour fuir ce que son talent d'orfèvre aurait pu mettre au jour : l'exacte teneur de ses émotions, la dureté et les souffrances, l'échec enfin... Et ainsi, alors qu'il aurait pu, par son génie, disséquer pour la postérité et pour lui-même les divers sentiments qui l'agitaient, il s'est fourvoyé dans des voies mineures, convaincu qu'il fallait dire l'accessoire et non pas l'essentiel. Quel gâchis... Quel crève-cœur...

En moi-même, obnubilé par ses succès de paille, il ne voyait pas le vrai. Ni le contraste saisissant entre mes ambitions de jeune homme fougueux et la vie de notable tranquille que je mène à contrecœur ; ni ma propension tenace à brouiller le dialogue, à dissimuler sous un cynisme d'apparat mes inhibitions d'enfant triste, à jouer à ses côtés une comédie qui, pour être brillante, n'en était pas moins illusion. Paul, le neveu prodigue, l'enfant chéri, chéri d'oser refuser, d'oser enfreindre les lois du tyran, d'oser parler haut et clair là où tous chuchotent devant toi : mais, vieux fou, même le plus turbulent, le plus violent, le plus contestataire des fils ne l'est que par autorisation expresse du père, et c'est encore le père qui, pour une raison inconnue de lui-même, *a besoin* de ce trublion, de cette épine plantée au cœur du foyer, de cet îlot d'opposition enfin, par où se trouvent démenties toutes les catégories trop simples de la volonté et du caractère. Je n'ai été ton âme damnée que parce que tu l'as bien voulu, et quel jeune garçon sensé aurait pu résister à cette tentation-là, celle de devenir le faire-valoir flatté d'un démiurge universel, en endossant le rôle d'opposant qu'il avait écrit tout spécialement pour lui ? Vieux fou, vieux fou... Tu méprises Jean, tu me portes aux nues, et nous ne sommes pourtant tous deux que les produits de ton désir, à cette seule différence que Jean en crève alors que moi, j'en jouis.

Mais il est trop tard pour cela, trop tard pour parler vrai, pour sauver ce qui aurait pu l'être. Je ne suis pas assez chrétien pour croire aux conversions, encore moins de dernière minute, et, pour expiation, je vivrai avec le poids de ma lâcheté, celle d'avoir joué à ce que je n'étais pas, jusqu'à ce que pour moi aussi mort s'ensuive.

Je parlerai quand même à Jean.

L'illumination

Rue de Grenelle, la chambre

Alors soudain, je me souviens. Des larmes jaillissent de mes yeux. Je marmonne frénétiquement quelques mots incompréhensibles à mon entourage, je pleure, je ris en même temps, je lève les bras et trace convulsivement quelques cercles avec mes mains. Autour de moi, on s'agite, on s'inquiète. Je sais que je dois avoir l'air de ce que je suis, au fond : un homme mûr à l'agonie, retombé en enfance au seuil de sa vie. Au prix d'un effort dantesque, je parviens à dompter provisoirement mon excitation — lutte de titan contre ma propre jubilation, parce que je dois absolument me faire comprendre.

« Mon… petit… Paul, parviens-je à articuler péniblement, mon… petit… Paul… fais… quelque… chose… pour… moi. »

Il s'est penché vers moi, son nez touche presque le mien, ses sourcils torturés d'anxiété dessinent un motif admirable autour de ses yeux bleus éperdus, il est tout entier tendu par l'effort de me comprendre.

« Oui, oui, mon oncle, dit-il, que veux-tu, que veux-tu ?

— Va... m'acheter... des... chouquettes », dis-je en réalisant avec horreur que l'exultation qui inonde mon âme à prononcer ces mots merveilleux pourrait bien me faire crever brutalement avant l'heure. Je me raidis, dans l'attente du pire, mais rien ne se produit. Je reprends mon souffle.

« Des chouquettes ? Tu veux des chouquettes ? »

Je hoche la tête avec un pauvre sourire. Il s'en esquisse un, doucement, sur ses lèvres amères.

« Alors c'est ça que tu veux, vieux fou, des chouquettes ? » Il me serre affectueusement le bras. « J'y vais. J'y vais tout de suite. »

Derrière lui, je vois Anna qui s'anime et je l'entends dire : « Va chez Lenôtre, c'est le plus proche. »

Une crampe de terreur me serre le cœur. Comme dans les pires cauchemars, les mots me semblent mettre un temps infini à sortir de ma bouche, tandis que les mouvements des êtres humains autour de moi s'accélèrent vertigineusement. Je sens que Paul va disparaître au tournant de la porte avant que ma parole n'atteigne l'air libre, l'air de mon salut, l'air de ma rédemption finale. Alors je bouge, je gesticule, je jette à terre mon oreiller et, ô miséricorde infinie, ô miracle des dieux, ô soulagement ineffable, ils se tournent vers moi.

« Quoi, mon oncle ? »

En deux pas — mais comment font-ils pour être si prestes, si rapides, je suis sans doute déjà dans un autre monde d'où ils me semblent pris de la même frénésie qu'aux débuts du cinémascope, quand les acteurs avaient les gestes accélérés et saccadés de la démence —, il est de nouveau à portée de voix. Je hoquette de soulagement, je les vois se crisper d'angoisse, je les rassure d'un geste pitoyable tandis qu'Anna se précipite pour ramasser l'oreiller.

« Pas… chez… Lenôtre, dis-je en croassant, surtout... pas… chez… Lenôtre… Ne… va… pas… chez… un… pâtissier… Je… veux… des… choux… dans… un… sac… en… plastique… chez… Leclerc. » Je respire convulsivement. « Des… choux… mous... Je… veux… des… choux… de… supermarché. »

Et alors que je plonge au fond de ses yeux, que j'insuffle à mon regard toute la force de mon désir et de mon désespoir, parce que c'est, pour la première fois au sens propre du terme, une question de vie ou de mort, je vois qu'il a compris. Je le sens, je le sais. Il hoche la tête et, dans ce hochement de tête, il y a une réminiscence fulgurante de notre ancienne complicité qui renaît douloureusement, d'une douleur joyeuse et apaisante. Je n'ai plus à parler. Tandis qu'il part en courant presque, je me laisse glisser dans la ouate bienheureuse de mes souvenirs.

Elles m'attendaient dans leur plastique transparent. Dans le présentoir en bois, à côté des baguettes enveloppées, des pains complets, des brioches et des flans, les sachets de chouquettes patientaient. Parce qu'on les avait jetées là, en vrac, sans égard pour l'art du pâtissier qui les dispose amoureusement, bien aérées, sur un présentoir devant le comptoir, elles étaient agglutinées au fond de la pochette, serrées les unes contre les autres comme des chiots endormis, dans la chaleur quiète de la mêlée. Mais surtout, placées dans leur dernière demeure encore chaudes et fumantes, elles y avaient libéré une vapeur décisive qui, en se condensant sur les parois du réceptacle, avait créé un milieu propice au ramollissement.

Le critère de la grande chouquette, c'est celui de toute pâte à choux qui se respecte. Il faut éviter la mollesse comme la dureté. Le chou ne doit être ni élastique, ni avachi, ni cassant ou agressivement sec. Il tire sa gloire d'être tendre sans faiblesse et ferme sans rigueur C'est la croix des pâtissiers qui le fourrent de crème que d'éviter la contamination de la mollesse au chou qui en est empli. J'ai déjà écrit des chroniques vengeresses et dévastatrices sur des choux qui partaient en quenouille, des pages somptueuses sur l'importance capitale de la frontière en matière de chou à la crème — sur le mauvais chou, celui qui ne sait plus se distinguer du beurre qui le nappe de l'intérieur, dont l'identité se perd dans l'indolence d'une substance à laquelle il aurait dû pourtant opposer la pérennité de sa différence. Ou quelque chose comme ça.

Comment peut-on à ce point se trahir soi-même ? Quelle corruption plus profonde encore que celle du pouvoir nous conduit ainsi à renier l'évidence de notre plaisir, à honnir ce que nous avons aimé, à déformer à ce point notre goût ? J'avais quinze ans, je sortais du lycée affamé comme on peut l'être à cet âge, sans discernement, sauvagement et pourtant avec une quiétude que je me rappelle seulement aujourd'hui, et qui est justement ce qui fait si cruellement défaut à toute mon œuvre. Toute mon œuvre que ce soir je donnerais sans regret, sans l'ombre d'un remords ni l'amorce d'une nostalgie, pour une seule et dernière chouquette de supermarché.

J'ouvrais le sac sans ménagement, je tirais sur le plastique et agrandissais ensuite grossièrement le trou que mon impatience y avait formé Je plongeais la main dans le sac, je n'aimais pas le contact gluant du sucre déposé sur les parois par la condensation de la vapeur. Je détachais précautionneusement une chouquette de ses congénères, je la portais religieusement à ma bouche et je l'engloutissais en fermant les yeux.

On a beaucoup écrit sur la première bouchée, la deuxième et la troisième. On a dit beaucoup de choses justes à ce sujet. Toutes sont vraies. Mais elles n'atteignent pas, et de très loin, l'ineffable de cette sensation-là, de l'effleurement puis du broyage de la pâte humide dans une bouche devenue orgasmique. Le sucre imbibé d'eau ne croquait pas : il cristallisait sous la dent, ses particules se dissociaient sans heurt, harmonieusement, les mâchoires ne le cassaient pas, elles l'éparpillaient en douceur, dans un indicible ballet fondant et croustillant. La chouquette adhérait aux muqueuses les plus intimes de mon palais, sa mollesse sensuelle épousait mes joues, son élasticité indécente la compactait immédiatement en une pâte homogène et onctueuse que la douceur du sucre rehaussait d'une pointe de perfection. Je l'avalais rapidement, parce qu'il y en avait encore dix-neuf autres à connaître. Seules les dernières seraient mâchées et remâchées avec le désespoir de la fin imminente. Je me consolais en songeant à la dernière offrande de ce sachet divin : les cristaux de sucre déposés tout au fond, en souffrance d'un chou auquel s'agripper, et dont je fourrerais les dernières petites sphères magiques, avec mes doigts poisseux, pour terminer le festin d'une explosion sucrée.

Dans l'union quasi mystique de ma langue avec ces chouquettes de supermarché, à la pâte industrielle et au sucre devenu mélasse, j'ai atteint Dieu. Depuis, je l'ai perdu et sacrifié à des désirs glorieux qui n'étaient pas les miens et qui, au crépuscule de ma vie, ont bien failli encore me le dérober.

Dieu, c'est-à-dire le plaisir brut, sans partage, celui qui part du noyau de nous-mêmes qui n'a égard qu'à notre propre jouissance et y revient de même ; Dieu, c'est-à-dire cette région mystérieuse de notre intimité où nous sommes entièrement à nous-mêmes dans l'apothéose d'un désir authentique et d'un plaisir sans mélange. Tel l'ombilic qui se niche au plus profond de nos fantasmes et que seul notre moi profond inspire, la chouquette était l'assomption de ma force de vivre et d'exister. J'aurais pu, toute ma vie durant, écrire sur elle et, toute ma vie durant, j'ai écrit contre elle. Ce n'est qu'à l'heure de ma mort que je la retrouve finalement après tant d'années d'errance. Et il importe peu, en définitive, que Paul me la rapporte avant que je ne trépasse.

La question ce n'est pas de manger, ce n'est

pas de vivre, c'est de savoir pourquoi. Au nom du père, du fils et de la chouquette, amen. Je meurs.

Merci à Pierre Gagnaire, pour la carte et sa poésie.

DU MÊME AUTEUR

Aux Éditions Gallimard

UNE GOURMANDISE, 2000 (Folio n° 3633)
L'ÉLÉGANCE DU HÉRISSON, 2006 (Folio n° 4939)

Dans la collection Écoutez lire

UNE GOURMANDISE, 2008 (1 CD)

Composition Graphic Hainaut.
Impression CPI Bussière
à Saint-Amand (Cher), le 8 septembre 2009.
Dépôt légal : septembre 2009.
1er dépôt légal dans la collection : janvier 2002.
Numéro d'imprimeur : 092557/1.
ISBN 978-2-07-042165-7./Imprimé en France.

[illegible]
[illegible]
[illegible]
[illegible]
[illegible]
[illegible]
[illegible]

172318